D0625819

LE GOÉLAND BLESSÉ

Mes amitiés
Claude Bélanger

à Élise Robert
Amicalement
Lionel Allard
29/9/83

Les redevances découlant des droits d'auteur seront versées à la Fondation Maguire pour les enfants handicapés de la Gaspésie.

Maquette de la couverture : Jacques Léveillé

ISBN 2-7609-8820-1

Dépôt légal — Bibliothèque nationale du Québec
2e trimestre 1983

Imprimé au Canada

Lionel
Allard

LE GOÉLAND BLESSÉ

LEMÉAC

À Lucie Saint-Onge-Bélanger
et à toutes les mères d'enfants handicapés

LES CHEMINS QUI SE CROISENT

J'ai connu Claude Bélanger en 1977. Comme lui, je suis né à Nouvelle, en Gaspésie, mais ce n'est pas notre seule affinité. En effet, il faut y ajouter une sensibilité à fleur de peau, un amour profond des êtres et des choses et cet entêtement obstiné que les organismes fragiles utilisent comme moyen de survie et de progrès.

C'est au pays natal que je l'ai rencontré, chez les cousins Berthe et Charles-Albert Day dont le fils, Réginald, était l'un des amis de ce jeune homme atteint de paralysie cérébrale. Même si ses proches affirmaient qu'il avait accompli des progrès remarquables au cours des années précédentes, il manifestait encore des troubles graves de coordination.

Ma femme, Élisabeth, a pu l'observer davantage et mieux que moi pendant que la maladie me retenait à l'hôpital de Maria. Il convient de dire qu'elle est douée d'un sens psychologique qui la rapproche des enfants, des malades, des personnes âgées et de tous ceux que les heurts de la vie ont blessés. Depuis cette première rencontre, plus d'une fois elle m'a parlé des problèmes de Claude, de sa démarche saccadée, de sa difficulté à tenir un verre et une cuillère sans en renverser le contenu, de ses efforts pénibles pour parler.

Nous l'avons revu quatre ans plus tard. À l'occasion d'une réunion mensuelle de ses membres, l'Amicale des Enseignants retraités de Québec et de la banlieue l'avait invité à donner une causerie pour marquer l'Année internationale de la personne handicapée. Claude ignorait que nous étions membres de cette association. Quand il nous a aperçus, il n'a pu cacher la joie que lui causaient ces retrouvailles inattendues et il a exprimé ses sentiments avec une exubérance qui étonne ceux qui ne le connaissent pas.

Une autre surprise nous attendait. Le Claude Bélanger que nous retrouvions était différent de celui que nous avions connu en Gaspésie. Sans doute sa voix avait-elle gardé le timbre cassé par la paralysie mais, dès qu'il parvenait à maîtriser ses émotions, nous comprenions aisément ses propos et il marchait avec beaucoup plus d'assurance. Il portait un costume de bonne coupe, il avait les cheveux soignés et la moustache bien taillée, et il était à l'aise avec tout le monde.

C'est une coutume, à l'Amicale, de servir un goûter à la mi-temps. Élisabeth, qui avait mangé à la même table que Claude lors de leur première rencontre, et qui n'avait pas oublié certaines maladresses inévitables, s'offrit à aller lui chercher du café.

— Pas nécessaire, lui répondit le jeune homme avec un brin de fierté dans les yeux et un geste de la tête qui lui est particulier, j'sus capable tout seul. R'garde-moi faire...

D'un pas assuré, il s'est rendu au buffet et en est revenu, transportant sa tasse sans faux mouvement. Après avoir bu sans hésitation, il lui dit, tout en passant sa main gauche sur le devant de son veston :

— R'garde, j'ai pas renversé une goutte !

Surpris, nous nous demandions par quel miracle ce jeune homme si lourdement handicapé avait réussi un tel progrès pendant les quatre dernières années alors qu'auparavant les changements étaient d'une lenteur désespérante. L'auditoire n'était pas moins étonné de l'assurance qu'il manifestait en exposant le long et pénible cheminement pour arriver à la maîtrise de son corps. Dans le profond silence qui enveloppait la salle, pas un mot ne fut perdu, pas même par ceux qui occupaient les fauteuils de la dernière rangée.

Claude a une imagination féconde et il ne cesse d'élaborer des projets plus audacieux les uns que les autres. La plupart ont pour objet de le forcer à se dépasser lui-même, certains visent à rappeler le souvenir d'une personnalité de son coin de pays, d'autres ont pour but d'aider ceux qui comme lui rencontrent des difficultés d'adaptation à la vie en société. Sans doute a-t-il pensé que le récit de son aventure personnelle pourrait encourager ces derniers à ne point lâcher. On comprendra que la rencontre d'un concitoyen, dont la principale occupation actuelle est l'écriture, fut pour lui une occasion inespérée. Au lieu de m'en parler directement, il s'est d'abord assuré de la complicité de ma femme. Je m'en suis rendu compte quand, en rentrant à la maison, Élisabeth me dit à brûle-pourpoint :

— Tu as sans doute deviné que Claude a une faveur à te demander?

— J'ai même compris qu'il avait reçu l'encouragement de ses amis. Serait-il gêné de m'en parler?

— Tu sais bien que Claude ne connaît pas la gêne! Non, il craint seulement de t'importuner.

— Il veut que j'écrive son histoire?

— Oui, bien sûr. Et ça le rendrait tellement heureux.

— Sans doute, ajoutais-je en réfléchissant tout haut, il y a des moments privilégiés pour certains projets d'écriture, comme cette Année internationale de la personne handicapée; mais elle est déjà avancée et la recherche de renseignements ne sera pas facile. Et Dieu sait s'il en faut pour écrire un livre!

— Je m'imagine, me répond Élisabeth, que Claude a tout prévu.

Ce dernier nous avait appris qu'à Nouvelle, on préparait une fête pour le lancement officiel de la Fondation Maguire, un organisme destiné à venir en aide aux enfants handicapés de la Gaspésie. On a choisi ce nom pour honorer la mémoire du docteur Jean-Eudes Maguire qui a pratiqué sa profession pendant près d'un demi-siècle dans la paroisse, et qui a assisté à la naissance de plus de deux mille enfants. Claude avait pris des dispositions pour qu'on nous y invite. Sans doute y voyait-il pour moi une heureuse occasion de visiter les lieux de son enfance et de rencontrer ses parents et ses amis. Un premier jalon dans des recherches indispensables.

Avant de me lancer dans cette aventure, je voulais mieux connaître Claude, observer de près son comportement et évaluer notre capacité de travailler ensemble pendant quelques mois. J'ai tout d'abord visité son appartement et j'ai été favorablement impressionné. Il faut dire que tout y est disposé avec goût, aussi bien l'ameublement que la décoration, et l'entretien est impeccable. J'y ai découvert plusieurs souvenirs de son coin natal, des photographies représentant les personnes qu'il admire et plusieurs tableaux qu'il a peints lui-même.

Le dimanche suivant nous l'avons invité à la maison après nous être entendus pour le traiter comme un invité ordinaire et oublier son handicap. Au souper, il y avait du bifteck. Il s'en est tiré sans problème, ne renversant ni une seule larme de vin ni une goutte de thé, et il était rendu au dessert en même temps que nous. J'ai profité de l'occasion pour lui annoncer notre intention d'avancer notre voyage projeté en Gaspésie afin d'assister à la fête du 21 juin à Miguasha. Il en conclut à l'instant que j'avais décidé de réaliser son projet. Aussi, nous a-t-il dit, avec les gestes impulsifs qu'il ne réussit pas toujours à maîtriser :

— C'est une des belles journées de ma vie ; je suis sûr qu'un de mes rêves va se réaliser.

Même si je lui ai demandé de n'en rien dire avant que j'eusse établi un plan de travail et évalué les possibilités de sa réalisation, il n'a pu le cacher à sa mère à qui il téléphone presque tous les dimanches. Et bien d'autres l'ont appris par la suite !

Claude a choisi le goéland comme symbole. On en retrouve partout chez lui : photos, peintures, sculptures. C'est lui qui a suggéré un goéland à l'aile brisée comme l'emblème de la Fondation Maguire. Cet oiseau est omniprésent en Gaspésie. Avec élégance, il survole la mer le long des côtes, et aussi les terres du littoral, à la recherche de sa nourriture. Ses bataillons animent les quais, les grèves et les rochers, et ils s'élancent à la curée quand un bateau de pêche rentre au port. Autant de spectacles que Claude ne se lasse pas d'admirer.

En pensant à Claude, en me rappelant sa grande détermination et son amour des goélands par surcroît, je n'ai pu m'empêcher de faire le rapprochement avec Jonathan Livingston le Goéland de Richard Bach. Ce dernier est indemne de corps, mais il souffre d'une insupportable contrainte dans sa vie de tous les jours. Il est prisonnier des habitudes terre à terre du clan dont l'activité de voler n'a d'autre but que la quête de la nourriture. Malgré la réprobation des siens, il décide de voler pour la joie de se surpasser, de maîtriser la vitesse et l'espace. Et, petit à petit, après bien des avatars, il atteint une rapidité et des sommets insoupçonnés. Il entraîne dans sa folle aventure quelques goélands avides comme lui d'espace et de liberté.

Claude est un goéland blessé mais, à l'instar de Jonathan, il veut aller aussi loin et aussi haut que ses capacités le lui permettent. Après de longs et persévérants efforts, il arrivera, non à voler vers les étoiles, mais à s'élever du rivage de la médiocrité et à se rendre plus loin que bon nombre de ses congénères. Déjà, il est arrivé à une autonomie qui lui procure une vie normale. Il se plaît à répéter qu'il se sent à l'aise dans son corps et qu'il est heureux.

Claude n'a pas lu le livre de Richard Bach — on en saura plus tard la raison — mais il en connaît le contenu et la philosophie; plusieurs fois il a vu le film et il en écoute la musique régulièrement. Il a vite compris le message qui se dégage de cette œuvre exceptionnelle. Et, comme Jonathan, mais avec plus de difficulté à cause du boulet qu'il doit traîner, il a décidé de travailler avec entêtement à dépasser ses propres limites, à lutter avec persévérance pour devenir ce qu'il a décidé d'être. Son histoire est une brillante illustration de la puissance de la pensée positive persévérante. Si le succès de cette longue et douloureuse montée découle, pour une part importante, de sa tenace détermination, il n'est que juste de signaler l'indispensable secours de ceux qui l'ont soutenu et encouragé sur cette route malaisée: son père, sa mère, ses sœurs, ses frères, ses amis, ses premières institutrices, ses professeurs. Chaque fois qu'il en a l'occasion, il ne manque pas de leur exprimer sa gratitude.

Je n'écris pas ce livre pour placer Claude Bélanger sur un piédestal. Sans doute ses efforts persévérants, son acharnement à vaincre les obstacles de son corps handicapé par la paralysie suscitent-ils l'admiration. Mais, à trente ans, il lui reste encore une longue envolée pour réaliser son rêve de complète liberté. Je n'oublie pas que parmi les milliers d'autres handicapés, plusieurs, avec autant de détermination que Claude, ont eux aussi progressé au point de pouvoir s'adapter à la société et devenir maîtres de leur destin. J'ai choisi Claude parce que nos chemins se sont croisés et que nous nous sommes reconnus.

Ce récit authentique, dépouillé de tout artifice littéraire, a été possible grâce à la prodigieuse mémoire de Claude. On est surpris de la facilité avec laquelle il se rappelle les dates, les noms, les événements. On comprendra l'impossibilité de tout vérifier mais, dans un témoignage de cette nature, est-ce vraiment nécessaire? Il faut ajouter que la mère de Claude a fourni de nombreux renseignements sur l'enfance de son fils sans lesquels ce livre n'aurait pu être écrit.

Pendant huit mois, j'ai rencontré Claude fréquemment. Je lui ai posé peu de questions; il me suffisait de l'écouter. En plus d'apprendre son histoire, j'ai découvert sa grande droiture, sa sincérité, son désir d'être utile, son attachement à sa famille et à ses amis, et son intérêt pour tous les problèmes humains. Dans ce récit, nous cheminons côte à côte et, souvent, c'est lui qui parle par ma plume. Après avoir longtemps porté son drame dans ma tête, j'ai acquis pour lui une grande admiration mais aussi, je dois l'avouer en toute sincérité, une meilleure compréhension des difficultés que rencontrent chaque jour les nombreuses personnes pour lesquelles, malgré tous ses exploits, la science est restée jusqu'ici impuissante.

Il va sans dire que ce livre laisse des questions sans réponse, entre autres celles qu'on pourrait adresser aux spécialistes du cerveau et aux psychologues. Si j'ai choisi de ne pas les consulter, c'est avant tout pour garder au récit sa plus grande simplicité. Rien ne les empêche d'étudier ce cas dans leur optique professionnelle.

Ce texte se situe fort loin de la nouvelle et du roman où je me sens plus à mon aise. J'ai cédé à la tentation de l'écrire parce que le sujet valait les longs mois d'un travail indispensable, mais aussi parce que j'avais la certitude que l'exemple de Claude pourrait être utile, non seulement en apportant un encouragement aux handicapés qui luttent pour leur adaptation, mais aussi à tous les humains à qui il reste encore du cœur.

Nous serions heureux, Claude et moi, si ce livre apportait de l'espoir aux parents d'enfants handicapés; s'il contribuait à effacer certains préjugés encore tenaces même en cette Année internationale; s'il aidait à chasser la peur que certaines personnes ressentent à la vue de ces oiseaux blessés et inspirait à tous, non la pitié, mais l'admiration pour les efforts persévérants malgré un progrès longtemps imperceptible; s'il réussissait à rappeler à ceux qui l'oublient que les handicapés sont des humains comme eux, des êtres sensibles qui ont besoin d'affection, de compréhension et d'amour; enfin, s'il pouvait être un encouragement à ceux qui se croient normaux pour arriver à la maîtrise des complexes qui les empêchent d'être heureux.

Je termine cette longue introduction en empruntant des passages d'une lettre émouvante que madame Léona, une voisine de chalet à Miguasha, a envoyée à Claude. On remarquera qu'elle s'adresse à lui par le détour de la troisième personne. Elle écrit:

> «Quand on m'a présenté un jeune homme qui avait des gestes brusques et de la difficulté à prononcer ses mots, je crois que j'ai eu peur. Je ne trouve pas de mots autres pour exprimer ma pensée, j'ai eu peur de je ne sais pas quoi au juste. Il était différent de moi; alors, j'ai résolu mon problème. Cet été-là et l'été suivant, je ne lui parlais pas et je ne le regardais pas.»

On ne peut résister indéfiniment à la séduction de Claude ! Un beau soir de juillet, les vacanciers avaient allumé un feu de grève devant les chalets. Claude participait aux rondes où se mêlaient les enfants et les adultes. On s'était ensuite rassemblés sur des sièges rudimentaires — des troncs d'arbres entraînés par les vagues — afin d'admirer la magie des flammes dans la nuit et jouir de la bonne chaleur de la braise. Sur l'insistance d'une amie, madame Léona était allée rejoindre le groupe. Profitant du moment où les gens commençaient à se disperser, elle s'était approchée du jeune handicapé et s'était enfin décidée à lui parler comme tous les autres l'avait fait ce soir-là. Avec une lourde émotion dans la voix, elle avait tenté d'expliquer sa peur instinctive, incontrôlable. Claude s'était contenté de sourire. Depuis cette soirée sur les bords de l'estuaire de la Restigouche, elle voit le jeune homme avec des yeux nouveaux et il est devenu un grand ami de la famille.

Elle raconte, entre autres, deux faits que je veux rapporter ici. Cet été-là, Claude avait décidé de peinturer son chalet et il se servait d'une échelle, comme les autres.

> « La chose qui m'a le plus impressionnée, écrit-elle, ç'a été de le voir peinturer ; là où moi je dois donner un coup de pinceau, lui il en donne trois, mais à la fin il cache le même pan de mur que moi. Elle continue : Au début de notre amitié, j'avais dit que j'aimais le café. Lorsque j'ai été passer une quinzaine au chalet avec ma famille, un matin je l'ai vu arriver avec une cafe-

tière bouillante. J'ai eu peur, mais cette fois qu'il se brûle. »

J'emprunte à cette lettre cette pensée heureuse en guise de conclusion :

> « J'ai appris qu'il aime à se débrouiller seul ; comme nous, il aime recevoir et pour se sentir pleinement humain, il aime à donner. À ce moment, il se sent égal à tous les autres, nous autres les soi-disant normaux. »

Claude Bélanger sur la grève de Miguasha.
Pierre St-Onge Photo, Nouvelle.

LA FAMILLE BÉLANGER

Claude est le cadet d'une famille de dix-huit enfants. Il appartient à la onzième génération de la lignée de Nicolas Bélanger venu de Normandie en Nouvelle-France vers 1658. Après son mariage à Marie Rainville en 1659, le nouvel arrivant s'était installé sur une terre de la seigneurie de Beauport. Le couple eut douze enfants dont les descendants essaimèrent en toutes les directions. Au milieu du XIXe siècle, l'un d'eux s'est établi à Bonaventure, sur la baie des Chaleurs.

Arthur Bélanger, le père de Claude, est né à Bonaventure en 1900. Comme son père et son grand-père, il devint forgeron et, à l'instar de la plupart de ceux qui pratiquaient ce métier au début du siècle, il fut aussi charron et maréchal-ferrant. Dans son village natal, il n'y avait pas de travail pour deux ; aussi, à dix-sept ans, dut-il quitter la maison paternelle. On le retrouve successivement à Restigouche, à Halifax et dans les chantiers forestiers de la rivière Bonaventure. En avril 1922, il se fixe définitivement à Nouvelle. Il y a construit sa boutique de forge en 1923 et, en 1924, une maison qu'il agrandira en 1938 pour en faire une vaste demeure de douze pièces.

Nouvelle, c'est la porte d'entrée de la baie des Chaleurs pour le voyageur qui s'engage sur la route du sud. Quand le vent y souffle d'en bas, selon l'expression des gens du pays, on y respire un air parfumé de salin et de goémon. Le touriste pressé ignore ses sites pittoresques qui exigent, pour être admirés, du temps et quelques détours. On y trouve un coin merveilleux mentionné plusieurs fois dans ce livre: la pointe de Miguasha située au confluent de l'estuaire de la rivière Restigouche et de la baie des Chaleurs. On y découvre des paysages d'une beauté violente, surtout quand la mer est en furie, et d'éclatants couchers de soleil. Sa grève offre des agates aux connaisseurs, et ses falaises rougeâtres recèlent des fossiles de poissons et de végétaux datant de millions d'années. Un site unique au monde. Miguasha, c'est le paradis de Claude Bélanger.

De ses deux mariages, Arthur Bélanger a eu dix-huit enfants. En 1924, il épousait Élisabeth Damboise de Nouvelle. Naquirent successivement Jeannine, Mariette, Raymonde, Jules, Marius et Arthur. La mère meurt en donnant naissance à ce dernier qui est recueilli et élevé par son oncle et sa tante, Horace et Estelle Bélanger de Saint-Siméon. En 1934, il convole en secondes noces avec Lucie Saint-Onge, elle aussi une fille de Nouvelle. Ils auront douze enfants: Roger, Angèle, Lucette, Raymond, Régis, Yvon, Reine, Paulette, Gilles, Nicole, Jacques et Claude.

À cette époque, la population vit surtout de la culture de la terre, du travail en forêt et un peu de la mer. Pour le transport et les travaux agricoles, on utilise les chevaux qu'il faut ferrer. Il y a aussi les instruments aratoires, les chariots et les traîneaux à réparer, et à construire parfois. En ces conditions, le forgeron ne manque pas d'ouvrage. Aussi, le feu ne dérougit pas et l'enclume résonne du matin jusqu'au soir.

Même si le forgeron travaille du lever au coucher du soleil, six jours par semaine, les revenus suffisent à peine à nourrir et à habiller les enfants qui grandissent. Les parents songent à l'avenir et ils désirent assurer à chacun le plus d'instruction possible à une époque où rien n'est gratuit. Cela signifie les envoyer loin de la maison dès qu'ils auront terminé l'école du village. Selon le choix de chacun, on les retrouvera dans des cours classiques, techniques, ou universitaires, à Gaspé, Rimouski, Québec, Halifax, Montréal, Paris...

Lucie voudrait bien aider son mari, mais dans les villages de ce temps-là, les emplois sont inexistants, surtout pour les femmes. En 1936, elle réussit à obtenir la charge de maîtresse de poste. Ce ne fut pas sans inconvénients. En effet, il a fallu rapetisser la cuisine d'un espace d'environ deux mètres par quatre pour y installer le bureau de poste. À la fin, le maigre salaire de soixante-dix dollars par mois suffisait à peine à payer la servante devenue indispensable à cause du nombre grandissant d'enfants. En 1945, elle jugea plus avantageux de quitter cet emploi pour se consacrer entièrement à sa famille.

L'âge d'or de la forge artisanale tirait à sa fin. En 1946, on avait commencé la construction du chemin de ceinture de la péninsule. Cette nouvelle route favorisait la venue de l'automobile qui remplacera graduellement le cheval de trait. Vers la même époque commence la mécanisation de la ferme et ce progrès exige la compétence du mécanicien qui remplace le forgeron. En 1948, Arthur Bélanger doit se rendre à l'évidence : les revenus de son métier ne suffisent plus à faire vivre convenablement sa famille. C'est alors que commence pour lui seize années à bourlinguer sur la Côte-Nord.

En octobre 1948, il part pour Sept-Îles où il travaillera quatorze heures par jour, sept jours par semaine, au salaire d'un dollar et cinq cents l'heure. Pendant cinq ans il besognera comme forgeron à la construction du chemin de fer qui va de Sept-Îles à Shefferville. Peu après, on le retrouve sur les chantiers des barrages aux Passes-Dangereuses, et ensuite à Port-Cartier où il ajoutera à son premier métier celui de soudeur. Expatrié par la rude nécessité de nourrir les siens, il s'ennuie et s'inquiète de la maladie et des accidents qui pourraient arriver à la maison. Les distances et les difficultés du voyage l'empêchent de revenir à Nouvelle aussi souvent qu'il le désire. Il est de retour définitivement en 1964.

Pendant seize ans, Lucie Bélanger est seule à s'occuper de son petit monde grouillant. Elle doit jouer à la fois le rôle de mère et celui de père. Son heureux tempérament a sans doute contribué à établir un climat d'entraide et de bonne entente. Dès qu'ils eurent commencé à travailler, les plus âgés ne manquaient pas de lui faire parvenir chaque mois quelques dollars pour aider à l'instruction des plus jeunes. Malgré les obstacles, ils ont tous acquis une solide compétence et gagnent bien leur vie.

Il est remarquable qu'au moment où j'écris ces lignes, les vingt membres de cette famille sont tous vivants et en bonne santé. Aujourd'hui, seuls le père et la mère demeurent dans leur grande maison de Nouvelle. Les enfants sont éparpillés de la Nouvelle-Écosse à l'Alberta. La plupart de ceux qui vivent au Québec habitent des endroits aussi éloignés de leurs parents que Gaspé, Sept-Îles, Québec, Montréal. Chacun leur tour, souvent plusieurs à la fois, ils reviennent passer quelques jours à la maison paternelle. Au dernier réveillon de Noël, ils étaient plus de quarante, car il y a les petits-enfants et quelques voisins aussi. Quant à Claude, il descend chaque fois qu'il peut profiter d'un congé prolongé.

Chez les Bélanger, on s'amuse gaiement à chaque rencontre. Tous chantent et plusieurs jouent de différents instruments de musique. Nul doute qu'une telle atmosphère cordiale contribuera à l'adaptation de Claude, le seul qui aura du mal à s'envoler. C'est avec bonheur qu'il rappelle ses souvenirs, surtout ceux de Noël, la fête par excellence pour la famille. On le réveillait pour la messe de minuit pendant laquelle il lui arrivait de s'endormir le côté gauche, celui touché par la paralysie, appuyé sur sa mère. Mais il n'avait plus sommeil quand la fête commençait à la maison.

Il parle avec volubilité de ces rencontres familiales et rappelle joyeusement certains incidents gravés dans sa mémoire. Il va de soi qu'en ces occasions on serve du vin. Alors qu'il avait treize ou quatorze ans, l'une de ses sœurs s'était avisée de couper d'eau le vin du frère cadet. Il n'avait rien dit, mais il s'en souviendra la prochaine fois. Comme elle avait répété le manège à une autre occasion, il a profité d'un moment de distraction de cette dernière pour échanger les verres. Elle s'était contentée de grimacer à la première gorgée, mais elle avait compris que Claude ne voulait plus être considéré comme un enfant irresponsable. Dans ce fait, banal en soi, il manifeste déjà une attitude qui l'aidera à se tailler une place dans la société.

PRESSÉ D'ARRIVER

Claude est né prématurément le 5 mars 1951, à quatre heures et demie du matin. Dans une lettre à son fils, Lucie Saint-Onge-Bélanger raconte les péripéties de cette naissance. Elle était en parfaite santé quand elle est devenue enceinte pour la douzième fois et tout s'est déroulé normalement jusqu'au huitième mois de sa grossesse. Elle attrapa une mauvaise grippe; la maladie était alors en état épidémique dans la paroisse. Le médecin lui a prescrit les médicaments indiqués dans ce cas où il faut songer à la mère, mais aussi à l'enfant qu'elle porte.

Bien qu'il soit difficile d'en déterminer la cause exacte, huit jours plus tard la future mère a ressenti les douleurs annonciatrices d'une prochaine délivrance. C'était la nuit. Le mari est absent, les huit enfants qui restent encore à la maison, dorment profondément. Elle ne les dérangera pas, assurée que tout se passera avant qu'ils ne s'éveillent. Elle fait d'abord appel à Céline, la femme de son frère Edmond, qui demeure à Drapeau, à quelque deux kilomètres du côté de l'est. Elle sait qu'à cette date ce n'est pas normal, mais elle a pleine confiance en son docteur Jean-Eudes Maguire qui a assisté à la naissance de la plupart de ses autres enfants.

Tout se passe naturellement, comme dans les onze cas précédents, sans étranglement par le cordon ombilical et sans la nécessité d'utiliser les instruments. Le bébé est bien vivant, même s'il n'a pas la vigueur d'un enfant rendu à terme; il pèse environ cinq livres. Le médecin l'a ondoyé: c'était la coutume quand on craignait pour la vie du nouveau-né. Ensuite il s'est efforcé de réconforter la mère, l'assurant que l'enfant survivrait si on le plaçait sans tarder dans un incubateur.

Comme chaque minute est précieuse, le docteur décide de transporter lui-même l'enfant à l'hôpital de Maria, à vingt-neuf kilomètres environ de Nouvelle. Sa femme, Lucienne, s'offre à prendre soin du bébé pendant le trajet. Ancienne garde-malade résidente de Saint-Jean-de-Brébeuf, une paroisse à l'arrière-pays ouverte à la colonisation au cours des années 30, elle a déjà connu des situations aussi dramatiques. Après avoir réchauffé des couvertures de laine, elle y a enveloppé soigneusement le nouveau-né qu'elle portera dans ses bras jusqu'à l'hôpital. Ce geste généreux explique sans doute l'attachement que Claude montre pour cette femme. Il faisait très froid ce matin-là et les chemins, mal entretenus, étaient étroits et raboteux, mais la Mercédès de Jean-Eudes Maguire a déjà vaincu des obstacles de neige et de glace plus difficiles.

Dès le lendemain on avertit le père qui obtint facilement un congé et se dirigea précipitamment vers Nouvelle. Quand il l'a vu à l'hôpital, l'enfant avait cinq ou six jours. On peut imaginer que dans son cœur de père il souhaite pour ce fils la santé dont jouissent tous ses autres enfants. Malgré son inquiétude, il doit repartir presque aussitôt vers la Côte-Nord; il ne peut prendre le risque de perdre un emploi de plus en plus indispensable.

L'hospitalisation a duré quarante-trois jours. La fiche de l'institution ne fournit aucun détail sur les progrès de l'enfant; aucune mention de son poids à l'admission ni à la sortie, sauf la date de l'arrivée et celle du départ. Un seul mot: incubateur.

Grâce à l'obligeance du voisin Percy Leblanc, la mère a pu se rendre plusieurs fois à l'hôpital. Quand elle a vu le bébé dans l'incubateur, dix jours après l'acccouchement, il avait déjà pris quelques onces et il paraissait bien portant. Le 16 avril, les autorités de l'hôpital avertissent la mère qu'elle peut le ramener à la maison. Elle va le chercher sans tarder, accompagnée de tante Céline. Quel bonheur de trouver à la pouponnière un bébé joufflu, rayonnant de santé et aussi normal que tout autre enfant d'un mois et demi.

On l'a conduit à l'église le jour même et c'est la mère qui l'a tenu sur les fonts baptismaux. C'est elle aussi qui a choisi le nom de Claude, celui qu'elle préférait. De toute sa vie c'était le premier enfant qu'elle portait au baptême. Le mari était absent, bien sûr, mais pas dans la pensée de Lucie qui avoue cependant s'être sentie seule ce jour-là. Raymond et Lucette furent ses parrain et marraine.

Pendant les premiers mois, tout se passa normalement. L'enfant dormait bien, mangeait avec appétit, pleurait quand il avait faim ou quand il était mouillé. Un beau bébé qui comblait d'espoir toute la famille.

PREMIÈRES INQUIÉTUDES

C'est avec joie que l'on célèbre l'arrivée de ce petit frère attendu depuis si longtemps. On épie ses premiers gestes, on devise sur sa ressemblance avec l'un ou l'autre des membres de la famille. Les filles aimeraient l'enlever, comme une poupée vivante, mais la mère modère les transports d'affection qui peuvent causer des mouvements trop brusques. Elle craint, malgré les apparences encourageantes, que le bébé ne soit encore trop fragile pour être bardassé dans les bras de l'une à ceux de l'autre. Elles doivent donc se contenter de l'admirer, de tenir son biberon, de le bercer pour l'endormir.

Pour la mère, c'est un douzième recommencement avec ses exigences quasi rituelles: couches, biberon, lever la nuit, bain quotidien... Pour le reste, le nouveau venu ne dérange guère le train-train journalier. Quand elles ne sont pas à l'école, les plus âgées secondent leur mère dans les travaux domestiques auxquels elle les a très tôt habituées. Sa longue expérience dans l'éducation des enfants donne à Lucie de l'assurance; ceux qui ont précédé Claude lui ont beaucoup appris. Dans son for intérieur, elle croit avoir assez bien réussi pour permettre à chacun un développement normal de sa personnalité et de ses aptitudes.

Depuis longtemps elle a compris que tous les enfants, même ceux d'une même famille, sont fort différents malgré certaines ressemblances physiques, que chacun est unique comme le sont ses empreintes digitales. Elle a aussi observé que si chaque enfant se développe à un rythme personnel, les différentes périodes de croissance des premiers mois varient peu dans le temps pour les bébés normaux : le moment de suivre des yeux la personne qui approche, celui de gazouiller, de jouer avec ses mains, de marcher et celui de parler.

Quand elle prend Claude dans ses bras, Lucie se demande sans doute s'il sera aussi précoce que Jacques, Nicole, Gilles et les autres. Les premières semaines sont encourageantes. Le bébé mange normalement, il dort jusqu'à vingt heures par jour, il pleure quand il a faim ou quand il a mal. Elle guette avec une certaine anxiété le moment où il commencera à lever la tête, à se retourner dans son lit, à remarquer les objets et à tenter de les saisir. Elle se rappelle que pour les autres c'est arrivé entre le troisième et le quatrième mois.

La mère ne tarde pas à se rendre compte, sans toutefois vouloir l'admettre comme une évidence, qu'il se passe quelque chose d'étrange chez cet enfant qui, par ailleurs, semble en parfaite santé. Plus de trois mois se sont écoulés et il ne lève pas encore la tête et il tarde à atteindre ce stade de développement où un bébé normal commence à explorer son univers avec ses yeux et ses mains, à vouloir toucher et tout porter à sa bouche. Plus le temps passe, plus elle se rend compte que Claude sera en retard, si on le compare à ses frères et à ses sœurs. Elle gardera pour elle-même ce secret troublant aussi longtemps que possible. Elle décide d'attendre patiemment et d'observer jour après jour les réactions de son enfant. Déjà elle sent qu'il aura besoin de beaucoup d'affection et elle ne ménage pas les gestes de tendresse.

Quand, vers ses cinq mois, vint pour Claude le moment de la station assise, la mère fait une autre découverte déconcertante : l'enfant n'a pas d'équilibre. Dès qu'on l'assied il tombe, et toujours du côté gauche. Pour le faire manger dans sa chaise haute, il faut l'attacher avec un large foulard afin qu'il ne se blesse pas. Quand la mère vaque aux soins du ménage ou à la cuisine, elle ne peut le laisser jouer sur le plancher comme elle l'a fait pour tous les autres ; elle doit y étendre une couverture et placer l'enfant entre des coussins pour le tenir assis confortablement. Autrement, il tomberait et ne pourrait se relever.

On comprend que toute la famille attendait avec anxiété la prochaine étape. Est-ce qu'il arrivera à se traîner sur le plancher, à marcher à quatre pattes comme l'ont fait les autres enfants de la famille, à se tenir debout sans tomber ? Il avait neuf mois quand est venue la réponse à la première question. Il a alors commencé à ramper en se tirant avec ses bras, manifestant une force assez surprenante pour son âge. Il se dirigeait rapidement vers un jouet, mais il était incapable de le saisir.

Puis vint l'expérience difficile de la station debout. Quand il réussissait à se hisser sur ses jambes en s'agrippant à une chaise, c'était pour tomber immédiatement. Il fallait une surveillance de tous les instants pour qu'il ne se blesse pas. Têtu, après une chute il essayait de nouveau, même s'il avait les lèvres en sang. Malgré ces troubles graves de coordination des mouvements, Claude n'était pas tellement en retard dans son développement général. C'est ainsi qu'il a réussi à marcher à l'âge de treize mois, se situant dans une bonne moyenne. Au début, il tombait fréquemment, mais il a fini par prendre le tour et à se tenir en équilibre. Malheureusement, une autre anomalie allait se manifester: il ne pouvait marcher en ligne droite; il avançait en chambranlant. Et le mouvement était amplifié s'il était soumis à une forte émotion, ou s'il voulait aller trop vite.

Un autre test l'attendait: celui du langage. Il a prononcé le mot maman aussi tôt que ses frères et ses sœurs et c'est avec joie qu'il le répétait donnant aux siens une lueur d'espoir, mais ce fut cent fois plus difficile pour les autres mots. Alors commençait pour la mère et les autres membres de la famille une pénible aventure qui durera des années. L'enfant est intelligent, mais il est frappé d'un profond handicap. Sans en connaître ni le nom, ni la cause, on se doute bien que ce soit un mal irréparable.

Il serait indécent d'essayer de décrire les douleurs morales d'une mère quand elle se rend compte qu'elle a mis au monde un oiseau blessé. Les mots que l'on pourrait inventer ne seraient sûrement pas à la mesure de son désarroi. On peut imaginer cependant que bien des fois Lucie Bélanger se soit retirée dans sa chambre pour pleurer sur son malheur. Douée d'un tempérament vigoureux et d'une nature optimiste, elle reprenait avec courage sa tâche d'éducatrice et chaque membre de la famille apportera une aide indispensable. Sans doute, Claude recevra-t-il des soins particuliers à cause de son état mais, pour le reste, il sera éduqué comme les autres, il devra prendre des habitudes d'ordre, s'entraîner à se débrouiller seul le mieux possible.

UNE PETITE ENFANCE EXCEPTIONNELLE

La petite enfance fut probablement pour Claude la période la plus importante de sa vie. Peut-être y puise-t-il encore les ressources nécessaires à sa complète libération dans les acquis des cinq ou six premières années de sa vie? Quelques mois après sa naissance, toute la famille Bélanger savait que le cadet ne serait jamais comme les autres. Une attitude positive et généreuse va contribuer au développement des automatismes indispensables à l'adaptation du Goéland blessé.

On était à une époque de grande détresse pour les handicapés à cause des préjugés entretenus envers eux. Plusieurs parents considéraient cette épreuve comme un coup du destin, sinon comme une malédiction. On avait honte et on les cachait. Cette attitude inhumaine envers des êtres sensibles et souvent intelligents conduisait à la dégradation morale. Il y avait des cas moins extrêmes où l'on s'était résigné à l'inévitable. On constatait parfois des progrès mais qui ne dépassait guère l'adolescence. Si l'on pouvait scruter certains de ces milieux familiaux, on y découvrirait peut-être une mère dépressive qui n'a jamais accepté l'enfant anormal et qui pense, si elle ne le dit tout haut: «Pourquoi faut-il que ce soit moi?» Il arrive aussi que les membres de la famille se désintéressent de l'enfant handicapé. Manquant d'affection, cet être fragile se replie sur lui-même et il est repoussé par une société implacable pour les démunis, les faibles, les improductifs.

Heureusement pour Claude, l'attitude de sa famille fut exceptionnelle. Il a reçu les marques de tendresse et d'amour indispensables à son équilibre psychologique, et un encouragement constant qui l'aidera à s'insérer sans trop de difficulté dans la vie familiale, la vie paroissiale et plus tard la vie scolaire. Deux facteurs ont joué un rôle important: un heureux tempérament qui le disposait à l'acquisition de qualités précieuses comme la débrouillardise, la patience, la persévérance, la sociabilité, la générosité et, de l'autre côté, les dons exceptionnels de la mère comme éducatrice. À certains points de vue, il a été traité comme les autres; il avoue qu'il a reçu des tapes sur les fesses, pas souvent quand même. Grâce à une discipline familiale ferme mais sans rigueur excessive, il a acquis les habitudes qui lui seront utiles quand il devra s'éloigner de la maison.

Il est impossible de retracer tous les détails de l'enfance de Claude. Sans doute a-t-il conservé quelques souvenirs, mais ils ne sont que des maillons qu'on ne peut joindre en une chaîne continue. Quant à sa mère, elle reste discrète. On comprend qu'elle ait voulu chasser de son souvenir les cauchemars des premiers mois. Il y avait les autres enfants qui, eux aussi réclamaient son dévouement. Parmi les faits retrouvés, j'ai choisi ceux qui me paraissaient pouvoir expliquer, au moins en partie, l'influence de cette petite enfance sur le déroulement des années subséquentes. Une première constatation s'impose : malgré son lourd handicap, Claude a eu une enfance heureuse, une enfance presque normale. En revivant avec lui son histoire, j'ai acquis la conviction que sa lente progression vers l'autonomie et son épanouissement actuel ont leur source dans la formation reçue pendant ces premières années.

Éducateurs et psychologues sont unanimes : la petite enfance joue un rôle important dans l'éducation. Les auteurs de nombreux livres sur ce sujet reconnaissent que les cinq ou six premières années de la vie sont primordiales pour la formation du caractère et le développement des traits de la personnalité. Elles ne sont pas moins importantes pour assurer la stabilité émotionnelle. Certains vont jusqu'à affirmer que cinquante pour cent du potentiel de l'intelligence se développe pendant cette période. L'enfant qui se sent aimé, qui a appris à faire des choses, qui a été formé à persévérer dans ses entreprises, qui a été entraîné à la pensée positive, sera plus efficacement préparé à réussir ce qu'il entreprendra plus tard. Intuitivement, Lucie Bélanger a appliqué ces principes à l'éducation de ses enfants.

Devant la dure réalité que son fils cadet ne sera jamais comme les autres, la mère a ravalé sa douleur et elle n'a point paniqué. Sans négliger les autres membres de la famille, elle a organisé la maison en fonction des besoins de Claude. Soutenue par un optimisme qui la porte à encourager le moindre effort, elle a inlassablement dirigé l'enfant vers les gestes et les exercices qui pourraient améliorer son état. Avec l'appui des autres enfants, elle l'a aidé à parcourir le long cheminement vers la maîtrise des émotions, la coordination des mouvements et celle de la parole. Chaque succès était applaudi et les encouragements aidaient l'enfant à s'améliorer.

Claude rappelle lui-même ses longs et pénibles efforts pour arriver à porter une cuillère à sa bouche sans en renverser le contenu, les exercices persévérants pour arriver à lacer ses chaussures. Si la mère intervenait, c'était pour encourager: «Continue, Claude, tu vas y arriver». Il s'est fait répéter des centaines de fois, des milliers peut-être, de marcher droit, de manger correctement, de prendre le temps de prononcer ses mots. «Parfois, avoue-t-il, les oreilles m'en bourdonnaient». Il est reconnaissant pour cette éducation positive qui suggère et encourage au lieu de proscrire. C'est sans doute grâce à cette attitude ferme et constante que Claude a acquis cette ténacité, cette persévérance têtue, qui lui a permis de se développer harmonieusement, de réussir les projets entrepris et de s'envoler vers une autonomie de plus en plus complète. Contrairement à Jonathan le Goéland, c'est le clan familial qui l'a poussé vers sa libération.

Dans l'atmosphère chaleureuse qui a enveloppé son enfance, d'autres traits du caractère de Claude se sont développés. Contrairement à beaucoup d'autres handicapés, il n'éprouve aucun complexe, ou si peu, il ne souffre pas de timidité. Il est aussi à son aise avec les grands qu'avec les humbles, que ce soit un écrivain, un artiste renommé ou un premier ministre.

LA BIBLIOTHEQUE DE QUEBEC
350, Saint-Joseph est
Québec, Qué. G1K 3B2
529-0924

Horaire du 5 sept. 83 au 15 juin 84

Centrale

Secteur des adultes:

Lundi	14h00 @ 21h30
Mardi, mercredi	
Jeudi, vendredi	10h30 @ 21h30
Samedi	10h00 @ 18h00
Dimanche	12h00 @ 18h00

Secteur des enfants:

Lundi	14h00 @ 17h00
Mardi	13h00 @ 17h00
Mercredi, jeudi	13h00 @ 21h30
Vendredi	13h00 @ 17h00
Samedi	10h00 @ 17h00
Dimanche	12h00 @ 17h00

Note: POUR RESERVER LES FILMS à l'audio-visuel, s.v.p. téléphoner aux heures d'ouverture de la Bibliothèque seulement, au poste 223.

Il oublie la fonction pour s'intéresser à la personne humaine. C'est sans doute une des raisons qui lui font dire qu'il est heureux, bien dans son corps et qu'il n'envie rien à personne.

Un autre phénomène digne de mention est probablement dû à la même cause. Claude a toujours été accepté avec bonheur par les enfants de son âge qui l'appelaient affectueusement Ti-Claude et l'invitaient à partager leurs jeux. Il semble bien que jamais l'un d'eux ne se soit moqué de son infirmité. C'est un phénomène plutôt rare. En effet, on connaît la cruauté de certains enfants envers les faibles sans défense. Sûr de lui, Claude prenait les devants, il était parfois le plus entreprenant et, probablement celui qui parlait le plus. Ce trait de son caractère va s'améliorer, se raffiner au cours des années.

Cette lente accession vers une meilleure coordination n'est pas le résultat uniquement de commandements et de mises en garde. On a beaucoup utilisé les jeux, surtout ceux qui invitent à la préhension et qui exigent de la manipulation : casse-tête, jeux de blocs, jeux de magasin, etc. La plupart lui étaient offerts par ses frères et ses sœurs. Il s'y appliquait avec un incroyable entêtement. Sa mère raconte qu'il s'est particulièrement intéressé à un jeu de blocs avec lequel il construisait des maisons imaginaires qu'il destinait à quelqu'un de la famille, un jour pour Raymond, un autre jour pour Lucette, et les autres avaient aussi leur tour. Il élevait ses constructions sur la table de la cuisine et il devait recommencer deux fois, trois fois et même davantage, car il suffisait d'un faux mouvement pour que l'édifice s'effondre. Il recommençait sans dire un mot, sans s'énerver. Quand il avait terminé, sa mère glissait la construction sur sa planche à pâtisserie et la plaçait en un lieu sûr jusqu'à l'arrivée du destinataire. Et le lendemain il en commençait une autre toute différente.

Une autre attention des membres de la famille a contribué à développer son sens social et à lui donner de l'assurance. On ne manquait jamais une occasion de le sortir; on l'emmenait chez les voisins, chez les parents, au magasin général, à l'église. Quand une de ses sœurs partait pour une commission, Lucie lui disait: « Attends un peu, je vais habiller Claude, le mettre beau et tu vas l'emmener avec toi ». Toutes s'y prêtaient volontiers et cela préparait le petit frère à l'apprentissage scolaire qui allait bientôt commencer.

Claude allait souvent chez sa grand-mère. Il la revoit dans sa chaise berçante, près du poêle, où elle le prenait affectueusement sur ses genoux. Elle demeurait sur la route de la Butte, dans la Côte des Mourants, à environ deux kilomètres du village. C'est très jeune qu'il a commencé à s'y rendre, presque toujours accompagné de sa sœur Nicole. Il devait traverser un pont couvert et monter une côte assez raide. Même s'il n'avait guère plus de trois ans, il se rappelle avoir traversé la rivière en canot alors qu'un lourd camion avait enfoncé le tablier du pont. Malgré le courant, il n'avait pas eu peur parce qu'il avait confiance en Louis Ouellet, le rameur aux bras vigoureux. Ce dernier habitait tout près de la rivière et il s'était offert pour passer les piétons. C'était pour lui une nouvelle aventure et pendant tout le temps qu'on a pris pour reconstruire le pont, il n'a pas été privé de ses rendez-vous avec sa grand-mère Saint-Onge. Il en revenait toujours avec un pot de crème fraîche.

Il lui arrivait de coucher chez sa grand-mère et Lucie ne s'en inquiétait pas. Il aimait les animaux et il accompagnait souvent l'homme qui allait jusqu'au bas de la côte chercher les vaches pour la traite. Il s'intéressait aussi aux travaux des foins, mais son oncle Eugène Saint-Onge ne voulait pas qu'il s'approche des machines de peur qu'il s'y blesse. Claude se rendait sur la Butte même en hiver. À son avis, il n'existe pas d'endroit plus propice aux glissades. La dernière fois qu'il a vu sa grand-mère, c'est quelques jours avant son décès en 1964. Dans son esprit, elle est toujours vivante.

Il y a des choses que Claude n'aimait pas tellement et ses réactions variaient selon les circonstances. Chez les Bélanger, on récitait le chapelet tous les soirs à six heures et demie. Comme cela l'ennuyait de rester longtemps à genoux et qu'il ne pouvait répondre aux prières comme les autres, il s'agitait et parfois prétextait un mal de ventre pour aller aux toilettes où il s'attardait. La mère avait dû intervenir avant que d'autres ne prennent la même habitude. La coupe des cheveux était toujours un moment difficile : il ne cessait de bouger au risque de subir des écorchures. Le barbier c'était Isidore Barriault, le voisin. Il comprenait la situation et il était patient. Au commencement, il venait à la maison et, pour l'opération, on attachait l'enfant dans sa chaise haute. Plus tard, Claude se rendait lui-même chez le voisin, mais ce sera toujours une corvée fort pénible.

Claude se plaît à raconter quelques souvenirs de sa petite enfance. C'était l'époque où les mendiants parcouraient les routes des campagnes pendant la belle saison. Claude en avait peur malgré l'assurance que lui avait donnée sa mère qu'aucun n'avait jamais manifesté de mauvaises intentions. Aussi, dès qu'il voyait un quêteux arriver chez le voisin, il se hâtait d'aller se cacher sous la véranda. Chaque matin, il accompagnait sa mère au poulailler pour la cueillette des œufs. En ce temps-là, on laissait aux poules la liberté de picorer autour de la maison, malgré certains inconvénients peu odorants! Claude avait une peur bleue du coq qui surveillait jalousement son harem et qui s'élançait à la poursuite du garçon quand il s'aventurait trop proche.

Tout près, résidait un célibataire infirme depuis son enfance. Son mal était différent de celui de Claude: il ne pouvait marcher sans béquilles et plus tard il fut contraint à la chaise roulante. Son affabilité et sa bonne humeur attiraient les enfants du voisinage qui lui rendaient volontiers de menus services: rentrer le bois, ramasser les feuilles en automne, faire des courses au magasin général. Claude en parle souvent et avec affection, sans doute à cause d'une certaine affinité. On l'appelait «Nomme», mais son nom est Philippe Day. Il travaille régulièrement dans un petit atelier attenant à sa maison; il y fabrique des maisonnettes d'oiseaux, des manches de hache ou de marteau; il polit des agates et aiguise des outils. Aussi longtemps qu'il a pu se déplacer par lui-même, il chantait à l'église. Souvent, Claude est allé lui dire bonjour avant de partir pour l'école.

Si on demandait à Lucie Bélanger comment elle a pu s'en tirer avec un si grand nombre d'enfants et les problèmes de Claude qui lui pesaient lourd, elle répondrait sans doute: «J'ai fait confiance à la Providence.» Et elle ajouterait sûrement: «Grâce à Dieu, j'avais une bonne santé.» Même si elle s'efforçait d'accorder à chacun sa juste part, Claude l'accaparait presque autant que tous les autres ensemble. Ses frères et ses sœurs comprenaient qu'il avait beaucoup plus besoin d'aide qu'eux et il n'y avait en leur cœur aucune jalousie.

SUR LE CHEMIN DES ÉCOLIERS

Ce n'est pas sans inquiétude que Lucie Bélanger voyait venir le jour où Claude devrait prendre le chemin de l'école. Sans doute a-t-il appris les exigences de la vie en groupe. Il s'est promené un peu partout dans le village et il a joué avec les jeunes du voisinage. Pour un enfant normal, ce serait une excellente préparation à la vie scolaire mais Claude est tellement différent des autres et, à l'école, il y a les règlements qui obligent à rester longtemps assis sur le même banc sans faire de bruit, à garder le silence, à ne parler que lorsqu'on est interrogé et surtout à ne pas rire sans raison.

Claude est un enfant docile, mais il ne peut rester longtemps à la même place, à moins d'y être rivé par un jeu qui capte toute son attention. D'un autre côté, il parle sans arrêt et il ne peut freiner un rire spontané. De plus, il y a son langage déformé que l'insticurice et les enfants qui ne vivent pas dans son entourage auront de la difficulté à comprendre. Heureusement, il possède des qualités qui compensent: il est généreux, patient, serviable.

Claude est un peu énervé à l'idée qu'il pourra fréquenter l'école comme tous les autres enfants. Le premier lundi de septembre 1958, sa mère l'a mis beau, comme elle le faisait quand les filles de la maison le sortaient avec elles. Il était fier de ses chaussures et de son costume neuf, mais surtout de son sac d'école qui contient une boîte à crayons, un cahier, le premier livre de lecture et le petit catéchisme.

Les sœurs de l'Assomption de Campbellton étaient chargées de la direction de l'école située sur le coteau, à l'ouest de l'église. Avant d'y arriver, on devait contourner le cimetière. Pour Claude, deux côtes à monter: celle de l'église et celle du couvent. Il fera le trajet matin, midi et soir, excepté en hiver où il apportera une collation pour le dîner. Pour lui, la première journée de classe, c'est un peu la suite de ses jeux puisque ses amis l'accompagnent et qu'ils l'aideront à se mêler aux autres élèves.

Claude a gardé un excellent souvenir de Zita Maguire, sa première institutrice. Depuis, elle s'est mariée à Paul-Émile Leblanc, un cultivateur de la Butte, sur la route qui conduit à Miguasha. Il ne manque pas de lui rendre visite chaque été. Comme il a dû doubler, il a passé ses deux premières années dans sa classe. Comprenant ses problèmes d'adaptation, elle lui a consacré une attention particulière, surtout quand des leçons d'écriture ou de dessin occupaient les autres élèves. De leur côté, ces derniers l'aimaient et essayaient de l'aider dans la mesure de leur capacité; jamais ils n'ont ri de son infirmité. Même s'il s'était entraîné à plusieurs jeux, Claude rencontrait des difficultés pendant les récréations. Jusque-là ses amis s'étaient adaptés à son rythme mais la plupart des jeux pratiqués à l'école étaient trop rapides pour lui. Il peut difficilement saisir une balle et courir avec les autres. Il s'y essaie parfois au risque de chutes douloureuses.

Si son adaptation à la vie scolaire s'est faite sans trop de heurts, il en fut tout autrement pour l'apprentissage des matières élémentaires: langage, lecture, écriture. Toutefois, il avait du succès en calcul oral. Pour la compréhension de la notion des nombres, l'institutrice utilisait des moyens concrets comme, par exemple, des bâtonnets qu'on pouvait facilement grouper. Pour vérifier la mémorisation des différentes combinaisons des dix premiers nombres, elle se servait d'un système de cartes; chaque carte présentait un problème à résoudre et permettait une réponse non verbale: les doigts suffisaient. Claude avait presque toujours la réponse exacte. Il est fier de rappeler qu'il a reçu des récompenses pour être arrivé premier en cette matière.

Pour Claude, tout le reste est difficile: se tenir debout sans bouger pendant plusieurs minutes, tourner les pages du livre de lecture, réciter les prières. Malgré des efforts persévérants, il n'arrivait pas à tracer correctement lettres et chiffres. L'institutrice s'est aperçue qu'il a plus de facilité pour le dessin, un exercice qui permet un geste plus ample et où les détails ont peu d'importance.

La bête noire de Claude, c'est le français. Il faut préciser qu'il est affecté d'une légère surdité de l'oreille gauche, le côté frappé par la paralysie. De plus, il est incapable d'articuler correctement les sons et les mots. C'est un sérieux obstacle à l'apprentissage de la lecture par la méthode phonétique qui est exclusivement orale. Malgré les longues et fastidieuses séances de répétition, il devra recommencer chaque fois qu'il changera de classe; il devra tout reprendre à partir du début quand il sera admis dans une école spécialisée.

On peut difficilement croire que tous ces efforts persévérants soient complètement inutiles. Après avoir été longuement sollicitées, certaines cellules du cerveau prendront peut-être la relève de celles que la paralysie a détruites. Mais, c'est là un problème de spécialiste. Quoi qu'il en soit, des mécanismes se développeront imperceptiblement pour conduire finalement à une libération. Mais ce sera long, très long avant que le Goéland blessé réussisse à prendre son envol.

Claude est intelligent, probablement au-dessus de la moyenne. Il le prouvera par les initiatives qu'il entreprendra et réussira. De plus, il possède une grande capacité d'adaptation aux personnes et aux événements. Son inaptitude à apprendre à lire et à écrire ne dépend pas de lui, mais d'une méthode contre-indiquée à cause de son handicap. Même si ses premières institutrices avaient connu la pédagogie idéale, elles n'auraient eu ni le temps ni le matériel approprié. Il faut dire qu'il faudra beaucoup de temps avant que les vertus de la lecture silencieuse soient connues et appréciées.

Selon le témoignage de ses premières institutrices, Claude était un écolier attentif et docile. Un problème subsistait: un rire incontrôlable, souvent trop prolongé au gré de la maîtresse d'école, et qui survenait à l'occasion d'un événement imprévu ou d'une situation cocasse. Élèves et institutrice s'y étaient habitués et la classe n'était pas dérangée pour autant.

Claude aime raconter des anecdotes de cette période et il en rit joyeusement. C'est ainsi qu'un jour, un garçon de la classe s'était glissé la tête entre les barreaux du dossier d'une chaise. Tous les efforts des élèves et de l'institutrice n'avaient pas réussi à le tirer de sa fâcheuse position. Un des enfants cria soudainement: « l' faudrait un' sciotte! » Claude fut complètement sidéré par cette suggestion radicale. Il s'imaginait qu'on allait couper la tête de son compagnon. La scie fut quand même la seule solution efficace!

Cette année-là, les paroissiens de Nouvelle avaient décidé de déplacer le vieux cimetière contigu à l'église, qui était devenu trop petit, sur un terrain plus vaste, du côté de la montagne. Les familles avaient été invitées à inhumer dans le nouveau champ des morts les restes de leurs parents défunts. Ensuite, on devait déposer dans une fosse commune les ossements des inconnus et des oubliés. Le spectacle de cet ossuaire à ciel ouvert impressionnait les âmes sensibles. Aussi, pendant le temps de la translation, la plupart des élèves passaient en arrière du presbytère pour éviter un spectacle qui les troublait. Claude n'avait rien changé à ses habitudes et il suivait le même chemin: il n'avait pas peur des morts. Chaque été, quand il retourne à Nouvelle, il n'oublie jamais de se rendre au cimetière. Il fait le tour des épitaphes, s'arrêtant plus longuement devant celles de parents, d'amis, de personnes connues. Il a un grand attachement au passé, à tout ce qui donne du sens à l'histoire.

À cause de sa grande faiblesse en français, Claude a été obligé de doubler sa première année d'école. Il s'en souciait peu car il aimait continuer avec la même institutrice. Ce qui l'a le plus affecté, ce fut la perte de ses compagnons, surtout ceux avec lesquels il s'était amusé pendant les années précédant son entrée à l'école. Il les voyait pendant les récréations, mais il ne pouvait les suivre dans des jeux trop rapides pour lui. Heureusement, il les retrouvait sur le chemin de l'école et dans le sentier que le curé Gendron avait fait tracer pour éviter que les enfants passent par la côte de l'église qui était étroite et dangereuse à cause des nombreuses voitures qui y circulaient. C'était quand même une descente assez raide, raboteuse et parsemée de cailloux, et qui comportait, elle aussi, ses dangers. Claude y a fait une chute qui a nécessité une visite chez le médecin et quelques points de suture.

Au cours de l'été 1960, Claude a fait un séjour à l'hôpital Sainte-Justine de Montréal. Les médecins de l'institution avaient conseillé à la mère de laisser au garçon le choix de rester à la maison ou de retourner à l'école. Il a choisi l'école. Il sait qu'il s'ennuierait à la maison sans aucun ami de son âge pour partager ses jeux. Malgré ses faibles résultats, la direction de l'école l'avait inscrit en deuxième année. Claude ne s'y trouva pas à son aise. Il ne peut suivre le groupe et l'institutrice se souciait peu de lui ; elle le tolérait. Il ne tarda pas à se sentir en marge de la classe aussi, comme diversion, demande-t-il plus souvent que nécessaire la permission de sortir pour les cabinets. Il flâne alors dans les corridors sans que personne l'importune et se rend parfois au bureau de la directrice qu'il trouve fort sympathique.

Un drame allait chambarder le cours des événements. Nul doute que sa difficulté à suivre le groupe, ses longues hésitations, ses blocages en lecture orale et son incapacité de réciter catéchisme et prières énervaient l'institutrice. Aussi, un jour, le vase s'est renversé ou plutôt, il s'est brisé. Tous les élèves avaient ri spontanément quand un garçon avait fait une bourde en récitant une réponse de catéchisme. Au signal de la religieuse, tous s'étaient remis au travail, sauf Claude qui avait continué d'un rire spasmodique sur lequel sa volonté n'avait aucun contrôle. Irritée, l'institutrice s'était approchée de lui et, sans avertissement, elle lui a servi une gifle retentissante en pleine figure. Il avait mal mais s'en souciait guère; le plus dur pour lui ce fut d'être humilié injustement devant toute la classe et d'être puni pour un acte dont seul son handicap était responsable.

Sans hésiter, il a ramassé toutes ses choses et il s'est enfui à la maison. Sa mère fut surprise de le voir arriver avant les autres et dans un état de surexcitation qu'elle ne lui connaissait pas. Elle imaginait qu'il s'était passé quelque chose d'anormal dans la classe: dès le début de la nouvelle année scolaire, elle s'était rendu compte de l'incompatibilité de caractères entre son fils et la nouvelle institutrice. Dans ses sanglots, l'enfant ne parvenait pas à lui expliquer ce qui s'était passé. Il voulait tout briser, déchirer ses livres et ses cahiers. Il fallut attendre l'arrivée des autres enfants pour connaître la cause du drame. Lucie Bélanger ne crut pas à propos de rencontrer la directrice de l'école pour se plaindre; elle savait que cette démarche ne réglerait rien. On était en mai. Claude n'est pas retourné à l'école.

À la maison, ce fut un choc brutal. Même si Claude était soumis à la même discipline que ses frères et ses sœurs, on le savait vulnérable et on le protégeait. Aussi, cette gifle, sans doute lancée dans un mouvement d'impatience, n'a cessé de faire mal à tous les membres de la famille. Après vingt ans, on sent encore la cicatrice. Ils savent qu'avant tout Claude a besoin d'amour, de compréhension, d'aide. De son côté, il accepte les imperfections des siens et celles de ses amis, mais il ne peut tolérer l'hypocrisie et l'injustice, comme rien ne peut le détourner de ses convictions profondes.

SÉJOUR À L'HÔPITAL

Cette tentative de reconstituer les événements nous conduit à une troublante constatation. Le médecin et la mère avaient très tôt découvert l'infirmité de Claude, mais il semble que jamais il n'en fût question entre eux, comme si ce fut un sujet tabou. L'enfant avait grandi sans que sa famille connaisse le nom ni les causes du mal qu'il portait depuis sa naissance. En 1960, il a neuf ans. Sa santé générale est excellente : il mange et dort très bien. Jusqu'alors, il n'a vu le médecin que pour des maux bénins : rhumes et maladies d'enfant. Malgré ses efforts constants et l'encouragement des siens, les progrès dans la coordination des mouvements des pieds et des mains et sa capacité de s'exprimer par la parole d'une façon compréhensible pour tous sont à peine perceptibles. À l'école il n'avance guère et la famille s'inquiète. Malgré sa force de caractère, la mère porte sur sa figure un masque de tristesse qui n'échappe pas à son entourage. Elle ne voit poindre aucune lueur d'espoir à l'horizon et souvent, en cachette, elle pleure sur son malheur.

Au début de l'été de cette même année, Lucie Bélanger est tombée par hasard sur un article de journal décrivant un cas semblable à celui de Claude. Il s'agissait d'un jeune homme qui manque de coordination et dont la démarche est zigzagante. Le signataire du texte, dont elle a oublié le nom, affirme qu'à l'hôpital Sainte-Justine de Montréal on a traité des cas de cette nature et que pour certains patients, on a constaté une amélioration appréciable. Elle est bouleversée par cette découverte. Aussi, s'en voudrait-elle de laisser passer cette chance, même si ce doit être l'ultime recours. On imagine que dans le fond de son cœur elle a toujours entretenu l'espoir qu'un jour, quelqu'un réussirait à vaincre ce mal étrange. Incapable de contenir son impatience, elle se rend immédiatement chez le docteur Jean-Eudes Maguire qui demeure à deux pas de la maison. Elle lui apporte la coupure du journal et lui demande d'entreprendre sans délai les démarches pour que son fils soit admis à l'hôpital mentionné.

C'est une décision aux conséquences nombreuses. Claude ne peut se rendre à Montréal seul et on peut difficilement prévoir la durée de son hospitalisation. Les frais pourraient être très élevés. Il y a les dépenses du voyage et ceux de l'hôpital, les honoraires des spécialistes, le prix des traitements et des médicaments et, sans aucun doute, un certain nombre d'imprévus. Et rien n'est gratuit en cette époque. Le mari et les enfants qui travaillent ont été consultés et tous consentent à partager les dépenses dans la mesure de leurs moyens.

Le départ a lieu le 9 août et Lucie accompagne son fils. Le train quitte la gare de Nouvelle à seize heures. À Matapédia, environ cinquante kilomètres à l'ouest, ils doivent descendre et attendre celui qui vient des Maritimes et dans lequel on leur a réservé un compartiment. Claude a dormi une bonne partie du trajet: avec sa mère il se sent en sécurité. Quant à cette dernière, elle n'a guère fermé l'œil. Elle peut difficilement chasser de son esprit l'image de cet enfant si différent des autres et nul doute qu'au milieu de sombres cauchemars, des éclairs d'espoir lui traversent l'esprit. L'hôpital Sainte-Justine lui apparaît comme sa dernière bouée.

À Montréal, ils se sont réfugiés chez l'oncle Lucien Bélanger qui demeure à environ un mille de l'hôpital. Lucie remercie le Ciel de cette hospitalité, car elle ne pourrait payer une chambre dans une maison de pension, encore moins à l'hôtel. Et c'est assez proche de l'hôpital pour qu'elle puisse s'y rendre à pied. Même les jours de pluie elle ne pourrait se permettre de voyager en taxi.

Claude est admis à l'hôpital le jour même de son arrivée à Montréal. Il y restera jusqu'au 27 août. Quand elle n'est pas près de son fils, la mère essaie de s'occuper le plus possible, mais il est probable que sa pensée ne cesse de s'envoler de son Goéland blessé à la maison de Nouvelle où elle a laissé plusieurs enfants. Elle sait qu'ils sont sages — peut-être davantage quand ils doivent porter des responsabilités. Elle sait aussi qu'elle peut se fier aux filles les plus âgées pour la cuisine et les soins du ménage. Et elle n'oublie pas qu'il y a là-bas sur la Côte-Nord un mari qui s'inquiète sûrement du sort du dernier de ses fils.

Comme le bulletin de sortie est avare de renseignements et que vingt-cinq années se sont écoulées, il faut se fier aux souvenirs de Claude pour connaître les événements survenus pendant les dix-sept jours qu'il a passés à l'hôpital Sainte-Justine. L'impression qu'il lui en reste est plutôt pénible. Il dit: «Ç'a été dur pour moi». Il parle peu du personnel médical, mais surtout de certains faits qui l'ont impressionné.

Il va sans dire qu'on lui a fait subir de nombreux examens: prises de sang, radiographies, etc. Un incident particulier est remonté de ses souvenirs. Il raconte qu'un jour, on l'a installé sur une chaise pour lui administrer une injection dans la colonne vertébrale. Presque aussitôt, il s'est senti «parti comme un petit oiseau», précisa-t-il.

Le lendemain, il entendait ce qu'on disait autour de lui mais il ne pouvait pas bouger. Il se souvient que sa mère est venue ce jour-là et qu'elle lui a donné un baiser sur le front. Quelque temps après, il a demandé à la garde-malade de l'aider à se lever. Cette dernière a d'abord hésité, mais elle n'a pu résister à sa demande de plus en plus pressante. Il avait les jambes tellement faibles qu'il s'est écroulé sur le parquet. À l'appel d'urgence, médecins et infirmières étaient accourus et l'avaient replacé dans son lit. Vainement, il a appelé sa mère.

Il se souvient de son compagnon de chambre, un handicapé, mais d'un mal différent du sien. Il était gros, trop gros pour son âge. Il s'appelait Claude comme lui. Ses parents venaient souvent le voir et ils s'intéressaient aussi au nouvel ami de leur fils. Un jour, il ne sait trop pour quelle raison, on a décidé de le transférer dans une autre chambre. Même si on lui avait caché l'endroit, Claude a réussi à le trouver et il lui rendait visite tous les jours.

Claude rappelle un autre incident. Un jour, il s'était assis sur l'allège de la fenêtre d'où il jetait de temps en temps un coup d'œil du côté du chemin Sainte-Catherine dans l'espoir d'y voir arriver sa mère ou sa sœur Raymonde qui habitait Montréal et qui lui rendait souvent visite. Subitement quelqu'un fit fonctionner devant la porte de la chambre un puissant aspirateur électrique. Il fut si effrayé qu'il s'évanouit. À cette époque, il était profondément allergique au bruit de cette machine et au rugissement des sirènes.

Le 29 août 1960, jour du retour, ses frères, ses sœurs et les amis des alentours s'étaient rassemblés à la gare pour l'arrivée du train. On imagine les effusions de joie et les questions sur les résultats du voyage. Sachant que Claude aime les animaux, Jacques et Gilles lui avaient acheté des lapins.

Claude n'a pas l'impression que son séjour à l'hôpital Sainte-Justine ait changé grand-chose à son état. Après, il se sentait endormi, engourdi. Il pense que cet état était causé par les médicaments que les médecins lui avaient prescrits et qu'il devait prendre régulièrement pendant au moins trois ans. Sur la fiche de sortie, les spécialistes avaient indiqué deux remèdes. J'ai consulté un pharmacien pour en connaître les vertus thérapeutiques. À son avis, le premier, qu'on ne trouve plus dans les pharmacies, avait pour fonction d'alimenter les tissus cérébraux et de soutenir l'effort mental — il devait en prendre aux repas du midi et du soir. On recommande encore le deuxième aux personnes souffrant de maladies qui provoquent des tremblements. La posologie : trois comprimés par jour. On insistait sur l'importance d'une alimentation « généreuse ». Claude ne pesait alors que vingt-sept kilos.

Un jour, alors qu'il fréquentait une école de la ville de Québec dont il sera question plus loin, le médecin lui a demandé s'il allait continuer à lui prescrire des pilules. Claude a répondu spontanément : « Non, j'veux pus avoir des pinunes ». C'est un mot qu'il ne pouvait encore prononcer correctement. Il croit que c'est à partir de ce moment-là que ses véritables progrès d'adaptation ont commencé. Il avait douze ans.

Longtemps, Claude a marché en chambranlant. À partir de 1963, les améliorations sont devenues plus sensibles. Il en attribue la cause, non aux médicaments, mais aux nombreux kilomètres qu'il a parcourus à pied et aussi à ses exercices à bicyclette.

Si le séjour de Claude à l'hôpital Sainte-Justine n'a pas visiblement amélioré son état, ce fut l'occasion pour sa mère d'apprendre que le handicap de son fils était dû à une paralysie cérébrale survenue à la naissance. Après cette révélation, Lucie Bélanger n'entretenait guère d'illusions, mais elle ne cessera point d'assurer à ce fils marqué par le destin la même attention qu'elle accordait aux autres ; elle ne pouvait s'empêcher de l'aimer davantage.

UN MAL ÉTRANGE

À Montréal, Lucie Bélanger apprend que les troubles qui affectent le comportement de son fils sont causés par la paralysie cérébrale. De ses rencontres avec les spécialistes, elle a retenu que Claude n'arriverait jamais à atteindre la limite possible de son développement s'il ne fréquentait une école spécialisée. Dans le premier cas, ce n'est qu'une question de mots. Depuis neuf ans, elle connaît les effets de ce mal étrange. Heureusement, son instinct d'éducatrice lui a inspiré les attitudes favorables au développement des mécanismes nécessaires à toute adaptation future. Aussi, Claude n'a-t-il jamais manqué d'affection et d'encouragement et, dans la famille, on a toujours applaudi à ses moindres efforts.

Le deuxième point l'inquiète. On chercherait vainement une école pour handicapés en Gaspésie et il en existe très peu au Québec. Pour se conformer aux conseils des médecins, Claude devrait quitter la maison paternelle, sa famille et ses amis et se rendre à Québec ou à Montréal pour un nombre imprévisible d'années. Il y a des difficultés à une telle aventure: les voyages, la recherche d'une maison de pension convenable, les dépenses difficiles à évaluer. Il faut aussi tenir compte de la capacité de l'enfant à s'adapter à un milieu étranger, peut-être hostile. Mais elle voudrait tant que Claude arrive un jour à voler de ses propres ailes qu'elle est prête à tous les sacrifices. On l'a prévenue qu'il n'est pas facile d'être admis dans ces écoles à cause du peu de places et des nombreuses demandes d'admission. Aussi, s'écoulera-t-il trois ans avant que ne se conjuguent les conditions favorables à la réalisation du projet.

À ce point du récit, il est sans doute utile à la compréhension des pages qui suivent d'apporter quelques informations sur le phénomène de la paralysie cérébrale. Pour avoir des renseignements pertinents, j'ai rencontré Roch Gadreau, un jeune homme lui-même handicapé comme Claude Bélanger. Il occupe le poste de directeur de l'information à l'Association de la Paralysie cérébrale du Québec. Pour compléter ses explications personnelles, il m'a fourni des documents imprimés par son association, entre autres une brochure intitulée *La paralysie cérébrale* qui contient les renseignements sur lesquels je me suis basé. Voici comment on y définit la paralysie cérébrale :

> « Un état non évolutif caractérisé principalement par des perturbations des fonctions du mouvement dues à des altérations du cerveau survenant avant, pendant ou peu après la naissance et auxquelles peuvent s'ajouter des désordres des facultés sensorielles et intellectuelles. »

La paralysie cérébrale n'est donc pas une maladie. C'est plutôt un trouble causé par la destruction d'un nombre plus ou moins grand de cellules du cerveau. Ces altérations au système nerveux se manifestent par la difficulté à contrôler les mouvements volontaires. Les troubles varient selon l'importance de l'accident qui a causé la paralysie. Ils peuvent affecter la parole, la vision, l'ouïe et même les facultés intellectuelles; ils provoquent parfois l'épilepsie. On constate aussi des problèmes d'ordre moteur, des difficultés à contrôler les mouvements des pieds et des mains. Certains sujets plus gravement atteints n'arrivent pas à marcher, d'autres sont incapables de parler d'une façon compréhensible. C'est dire qu'il n'existe pas deux cas identiques et que chaque paralysé doit recevoir un traitement individualisé.

Qu'est-ce qui peut provoquer un tel handicap? Le plus souvent, l'accident se produit à la naissance quand pour une raison ou une autre, l'oxygène ne parvient pas au cerveau du nouveau-né en quantité suffisante. La cause peut être l'étranglement par le cordon ombilical ou toute autre complication qui entrave le mécanisme normal de la naissance. Une maladie infectieuse de la mère pendant la grossesse peut en être aussi la cause. Plus rarement, l'accident survient après la naissance, à la suite d'un choc ou d'une maladie comme la méningite.

Les déficiences causées par la paralysie cérébrale sont permanentes, les cellules du cerveau ne pouvant se régénérer. Mais il reste chez l'enfant ainsi atteint de nombreuses ressources d'adaptation dont le succès varie selon l'individu. Le succès découle de l'efficacité et de la régularité des techniques utilisées. Il est donc important de commencer le plus tôt possible les traitements appropriés avant que l'enfant ne développe des mouvements incorrects.

Tout le mal provient du mauvais fonctionnement des centres nerveux. L'enfant normal réussit à développer à son propre rythme ses différents automatismes: boire, manger, parler, marcher, courir. Chez celui qui a été frappé de paralysie cérébrale, les mouvements automatiques ne sont pas spontanés. Il faut les provoquer par des exercices répétés qui stimulent les activités du cerveau; petit à petit, ce dernier arrive à commander les gestes longuement répétés.

Les troubles de la parole sont parmi les plus caractéristiques de la paralysie cérébrale. Claude en sera assez gravement affecté. C'est un problème auquel il importe de s'attaquer le plus tôt possible: pour l'individu, c'est le moyen par excellence de socialisation; c'est aussi la maîtrise du langage qui permet l'épanouissement de la personnalité. L'orthophonie et une longue patience peuvent entraîner l'enfant à s'exprimer d'une façon compréhensible, mais jamais au stade actuel des connaissances, on arrivera à faire disparaître le timbre qui marque la voix. Bref, les longs exercices d'adaptation doivent être dirigés par des personnes compétentes, douées de patience, et beaucoup de compréhension et d'amour.

La suite de l'histoire de Claude nous en apprendra davantage.

TROIS ANNÉES DE PIÉTINEMENT

Claude devra attendre encore trois ans avant d'être admis dans une école spécialisée pour handicapés. On se rappelle qu'en septembre 1960, il était retourné à l'école du village, même si les spécialistes de l'hôpital Sainte-Justine n'y voyaient pas de nécessité. Comme il ne sait pas encore lire, en deuxième année du cours élémentaire où on l'a placé il ne peut guère profiter que des leçons orales jusqu'au jour où le malheureux incident que l'on connaît le pousse à s'enfuir.

Il convient de rappeler que l'année précédente, après avoir suivi les leçons de catéchisme du curé Gendron, il avait été jugé apte à faire sa première communion; la cérémonie a eu lieu le 20 mars 1959. Il a reçu la confirmation le 20 mai suivant de la main de l'évêque de Gaspé, Mgr Paul Bernier. Quand on lui demande comment s'est passée sa première confession, il répond en souriant: «Tu comprends que j'm'étais préparé; j'ai réussi à tout dire d'un trait sans bloquer. J'avais pas tellement de péchés», ajoute-t-il avec le geste de la tête qui lui est typique et il continue: «J'ai dû m'accuser d'avoir trop souvent agacé mes amis et de ne pas avoir toujours écouté ma mère.»

Quelques années plus tard, son frère Jules qui avait été ordonné prêtre exerçait les fonctions de vicaire pendant ses vacances d'été à Nouvelle. Un jour, Lucie dit à Claude: « l'm'semble que ça fait longtemps que t'es pas allé à confesse. » Tout en acquiesçant, Claude avait décidé de se rendre au confessionnal de son frère. Cela ne le gênait pas et il était sûr de son aide s'il lui arrivait de bloquer dans la récitation des formules ou celle de la liste de ses manquements. Or, ce jour-là, il y avait eu confusion: l'abbé Jules Bélanger s'était installé dans le confessionnal du curé et ce dernier dans celui du vicaire. Quand le curé Gendron ouvrit le guichet, le garçon fut tellement surpris qu'il ne put articuler un seul mot et sortit précipitamment en pleurant. Le confesseur surgit à son tour, hors de ses gonds. On dit qu'il n'avait pas tellement bon caractère. Pour l'excuser, Claude assure que c'était un grand malade. Heureusement la mère était là pour tout expliquer.

Après sa première communion, Claude accompagnait ses parents à la grand-messe du dimanche. À cette époque, il marchait encore en zigzaguant et en descendant l'allée centrale, il s'appuyait sur le bras des bancs, d'un côté ensuite de l'autre. Des personnes sensibles étaient impressionnées par ce comportement étrange. Pendant la messe, il se tenait tranquille, le côté gauche appuyé sur sa mère.

En septembre 1961, il ne pouvait être question que Claude retourne à l'école des sœurs. Sa mère craignait qu'en le gardant à la maison sans la compagnie d'autres enfants de son âge, il ne s'opère un arrêt dans son développement. À Montréal, elle avait compris que dans certains cas semblables à celui de son fils, des handicapés avaient régressé quand on avait cessé les exercices d'adaptation. Elle songe à la possibilité de leçons particulières, mais il faudra payer et son revenu ne le lui permet pas. Elle entreprend alors des démarches pour obtenir un emploi à mi-temps au bureau de poste situé juste en face de sa maison, et elle réussit. Sans doute a-t-on tenu compte de sa longue expérience comme maîtresse de poste.

Johanne Normandeau, une institutrice qui s'est retirée de l'enseignement depuis son mariage et qui demeure tout près de la maison des Bélanger, consent à s'occuper de Claude l'après-midi, cinq jours par semaine. Ce dernier s'absente des cours quand les écoliers jouissent d'un congé et il en profite pour partager leurs jeux. L'institutrice, qui ne connaît point les nouvelles méthodes, ne peut guère faire mieux que de reprendre les exercices des trois années précédentes en mettant l'accent sur la lecture, le langage, l'articulation. Claude persévère jusqu'à la fin de juin, même si la compagnie d'autres enfants lui manque beaucoup.

Dans l'esprit de Lucie Bélanger, ces leçons privées pourraient continuer au moins encore une année. Mais, en septembre 1962, survient un contretemps. À Saint-Louis-de-Gonzague, les commissaires d'écoles n'ont pu trouver une institutrice pour une de leurs classes du village. Sur l'insistance du curé, Johanne Normandeau accepte le poste à la condition de pouvoir revenir à la maison tous les soirs.

Il s'agit d'une paroisse de l'arrière-pays, une de celle qu'on devra fermer quelques années plus tard. De Nouvelle, c'est un trajet de plus de trente-huit kilomètres. Elle suggère à la famille Bélanger d'amener Claude avec elle. Son mari consent à les conduire chaque matin jusqu'au vieux Saint-Louis, appelé aussi le rang Dugal, et à aller les chercher à la fin de l'après-midi. De cet endroit, ils prendront l'autobus scolaire que conduit le curé Dorval.

L'institutrice dirige une classe de 4e et 5e année. Les élèves sont trop avancés pour que Claude puisse les suivre. Elle s'occupe de lui dans les moments libres alors que les écoliers exécutent des travaux écrits, ou après le dîner et pendant les récréations. On comprend que cette attention généreuse n'était pas suffisante pour que Claude puisse progresser vraiment. Il est difficile d'évaluer l'importance de cette période sur son évolution. Quoi qu'il en soit, il gardera un souvenir ému de cette année scolaire pendant laquelle il s'est lié d'amitié avec les élèves de l'école et aussi avec les voisins. Il parle avec affection du curé Dorval, rappelant qu'un jour de tempête ce dernier les avait descendus, lui et l'institutrice, en auto-neige jusqu'à Saint-Omer, la municipalité voisine de Nouvelle.

Malgré tous ces efforts et la bonne volonté qui les accompagnait, Claude a peu progressé, du moins sur les points qu'il est facile d'évaluer. Il va de soi que ce régime ne pourra continuer longtemps si l'on veut qu'un jour il arrive à une complète autonomie.

UN ÉVÉNEMENT TRAUMATISANT

Quand on demande à Claude Bélanger quel événement a le plus profondément marqué son enfance, il répond spontanément: « Le feu de Nouvelle ».

Tout a commencé vers quatorze heures le 19 mai 1962 au dépotoir situé dans un petit bois en retrait du village, à l'ouest de l'église. Attisé par un fort vent, l'incendie avait vite pris des proportions qui le rendait incontrôlable. Nouvelle n'avait pas encore de système d'aqueduc; il fallait puiser l'eau de la rivière à quelques arpents du village.

Attirés par la fumée qui bouchait l'horizon du côté de l'ouest, Claude et ses amis avaient quitté précipitamment leurs jeux et s'étaient hâtés de monter la côte de l'église pour voir de plus près. Le brasier était si énorme et si menaçant qu'ils eurent peur et virèrent de bord immédiatement pour redescendre en courant. Lucie qui avait vu les enfants se diriger du côté de l'église, avait envoyé une des filles à leur rencontre. Déjà le feu avait atteint les bâtiments situés au pied de la côte et une grange brûlait.

Les habitations et les dépendances sont construites en bois et plusieurs ont des couvertures et des lambris en bardeaux de cèdre; le feu s'y insinue à cent endroits à la fois. Imitant les caprices de la foudre, il semble choisir ses victimes, sautant par-dessus une maison pour s'attaquer à la suivante ou à la deuxième.

C'était un véritable cauchemar. Au milieu des hurlements de l'incendie, les cloches de l'église sonnent sans arrêt. La population est affolée et l'on court d'une maison à l'autre pour s'assurer que ses proches sont en sécurité. On cherche par tous les moyens possibles à protéger sa maison et ses biens. Quand le sinistre approche dangereusement, on transporte meubles et objets divers dans les champs, espérant que le feu ne les atteindrait pas. Le chemin ne tarda pas à être obstrué par les flammes à plusieurs endroits, le téléphone cessa de fonctionner, l'électricité aussi et les puits artésiens devinrent d'aucune utilité.

Les pompiers des municipalités voisines avaient accouru avec diligence. Il en était venu de Dalhousie, de Campbellton, de Carleton, de New-Richmond. Quand ils arrivèrent, il était trop tard. Ils aidèrent à assurer la protection des personnes tout en surveillant pour que le feu ne se transporte ailleurs. Au milieu des cris des secouristes, on entendait le sifflement impitoyable du vent, le pétillement des flammes ressemblant à des décharges d'armes à feu, le bruit mat des toits qui s'effondraient dans un jaillissement d'étincelles.

Terrifié, Claude pleurait en spasmes incontrôlables. Sa mère, qui tenait à rester sur les lieux pour prendre les décisions opportunes, demanda à Nicole de conduire son frère chez la grand-mère Saint-Onge dans la Côte des Mourants. Pour s'y rendre rapidement, on piquait à travers champs jusqu'au pont de la rivière, après avoir traversé la voie ferrée. Avant de franchir cette dernière, Claude s'était arrêté suppliant sa sœur de revenir à la maison. Il y mettait une telle insistance qu'elle n'avait pu le retenir. Ce fut heureux pour les deux enfants car, quelques instants plus tard, le hangar où les «sectionnaires» gardaient des matières inflammables s'embrasait et était réduit en miettes par une explosion.

Des brandons furent transportés par le vent à plus d'un kilomètre du village. Partout où les maisons pouvaient être atteintes, les habitants se tenaient sur leurs gardes. Une fois le vent calmé, le feu s'assoupit. Le cauchemar avait duré cinq heures. On se hâta de se dénombrer. Grâce au Ciel, il n'y avait ni mort ni blessé, mais le village avait un aspect de grande désolation. Parmi ceux qui avaient combattu l'élément destructeur, certains étaient méconnaissables tellement ils avaient les yeux hagards, les traits tirés, la figure, les mains et les vêtements maculés de cendre et de charbon; certains avaient les cheveux grésillés par la chaleur. Quarante-cinq maisons et bâtiments avaient été rasés, un grand nombre d'animaux étaient morts dans les étables, dans les porcheries et les poulaillers. La maison des Bélanger avait été épargnée.

Vers quinze heures, on est allé conduire Claude chez sa grand-mère. Cette fois, il ne s'était pas fait prier. Mais vers l'heure du souper, il demanda à son oncle Eugène de le ramener à la maison. Le soir, il avait insisté pour coucher avec sa mère: il avait peur que le feu ne se ravive et qu'elle soit brûlée. Il voulait mourir avec elle.

Le matin de ce jour fatidique, Claude avait apporté à sa mère un bouquet de pissenlits. Cette dernière l'avait soigneusement placé dans un pot rempli d'eau fraîche. À la fin de l'après-midi, elle était assoiffée. Le puits artésien était tari et on avait utilisé le contenu des bouteilles d'eau gazeuse pour arroser les maisons. Elle se décida à boire l'eau des pissenlits. Claude a cru qu'il avait ainsi contribué à lui sauver la vie.

L'IMPORTANCE DES JEUX

Les jeux ont occupé une place de choix dans l'enfance de Claude. Sans doute ont-ils eu une influence sur son adaptation à la vie sociale tout en lui assurant un meilleur contrôle de ses réflexes. Ils ont aussi augmenté sa confiance en soi et lui ont permis de s'affirmer comme meneur. Pour les jeux extérieurs, ses principaux compagnons ont été son frère Jacques, sa sœur Nicole, le fils du voisin, Hugues Barriault et la sœur de ce dernier, Marie-France. D'autres enfants du voisinage ont aussi participé à leurs ébats.

Comme les autres enfants de leur âge, ils pratiquaient des jeux peu compliqués: le ballon-prisonnier, la cachette, les petits pas de souris et des constructions de toutes sortes. Pour ces dernières, ils utilisaient les croûtes de bois transportées de la scierie et cordées dans la cour. Claude se rappelle qu'un jour, Jacques avait commencé la construction d'une grange pour y placer des animaux de plastique reçus en cadeau. Il avait tout lâché après s'être plusieurs fois frappé sur les doigts avec le marteau et peut-être aussi parce que son jeune frère riait de sa maladresse. Ils jouaient aussi au magasin avec les sacs et les boîtes vides que Lucie Bélanger conservait. Les dollars étaient taillés dans du papier journal et les capsules de bouteilles servaient de pièces de monnaie. Claude s'habituait ainsi à manipuler les objets sans brusquerie et il apprenait à les tenir fermement.

Pendant la belle saison, Claude et ses amis raffolaient de pique-niques sur les bords de la rivière Nouvelle. Ils y trouvaient de l'ombrage, de l'herbe tendre pour s'asseoir, le chant de la rivière et celui des oiseaux et, selon la saison, ils pouvaient y cueillir des fraises des champs, des cerises, des noisettes et d'autres petits fruits sauvages. Ils se rendaient en ces lieux enchanteurs en passant à travers les champs, après avoir traversé la voie ferrée à un moment où ils étaient sûrs qu'il ne viendrait pas de train. Le chien Vic les accompagnait à chaque excursion. Ils partaient avec une grosse bouteille de Crush, des gobelets de papier et des sandwichs. Les parents les avaient habitués à rapporter les bouteilles et les papiers pour ne pas polluer la rivière.

Claude raconte joyeusement une aventure qui leur est arrivée à cet endroit. En face, de l'autre côté de la rivière, c'était la terre de l'oncle Eugène Saint-Onge. Un gros taureau pacageait dans le champ au bord de l'eau. Il paraissait vicieux et ne cessait de gratter le sol en beuglant. Se sentant en sécurité les enfants s'étaient amusés à l'agacer en criant et en lui lançant des cailloux. Quelle ne fut pas leur surprise de voir l'énorme bête se jeter à l'eau et se diriger vers eux en dépit du courant. Sans hésiter, ils ont tout lâché et se sont sauvés vers la maison en courant le plus vite possible. L'animal a réussi la traversée, mais les enfants étaient déjà loin et hors de son atteinte. Il s'est contenté de déverser sa rage en piétinant les objets qu'ils avaient laissés dans leur fuite.

Claude rappelle aussi ses nombreuses randonnées avec son ami Hugues Barriault. Ils ont surtout exploré le territoire situé en arrière de chez eux, au-delà des côtes. Un jour, ils se trouvaient sur le chemin de « L'Ostensoir » — un souvenir d'un reposoir d'une Fête-Dieu —, le lendemain à la chute à Noré ou au lac à Harmel. Il y avait aussi les excursions au camp de Gilles et de Jacques.

Dès qu'il fut assez habile pour pédaler, Claude a reçu un tricycle en cadeau. Après bien des essais et des chutes, il est parvenu à rouler assez rapidement et avec une certaine adresse. Mais la piste se restreignait au tour de la maison. Il s'en serait vite lassé si ses amis n'étaient venus le rejoindre pour organiser des courses qu'il gagnait parfois. Au fur et à mesure que le temps avançait, ce véhicule à trois roues perdait de son attrait. Aussi lorgnait-il avec une certaine envie ses compagnons de jeux qui étaient assez grands pour obtenir la permission de monter de vraies bicyclettes.

Raymond qui ne pouvait rien refuser à Claude, savait que son petit frère délaissait son tricycle dans l'espoir que quelqu'un songe à lui offrir une vraie bicyclette. Un jour qu'il pleuvait, précise le garçon, son frère était rentré à la maison avec un air mystérieux et tout de go il dit à son filleul: « Va donc voir dans le coffre de ma voiture; y a quelque chose qui pourrait t'intéresser. Je te le donne, si t'es capable de l'apporter ici ». Claude ne lui demanda pas de répéter et il courut jusqu'à l'automobile. Il en est revenu immédiatement et est entré dans la cuisine d'été en tenant une bicyclette au bout de ses bras. C'était une bicyclette de fille, plus facile d'accès pour lui.

Il est heureux que la bicyclette de Claude ne puisse se plaindre, car elle en a subi des avatars ! Ce fut d'abord toute une affaire d'apprendre à se tenir en équilibre et à rouler en ligne droite. Il y a eu des chutes mémorables. La maison, les clôtures, les arbres, les plates-bandes de fleurs subirent de nombreux chocs, sans dégâts irréparables toutefois. Mais la bicyclette dut plus d'une fois être transportée chez le réparateur. Longtemps, l'espace où il pouvait circuler était limité, le même que pour le tricycle.

Après un long et pénible entraînement, il était arrivé à maîtriser suffisamment son vélo pour obtenir la permission de circuler sur les chemins, mais non sans recommandations précises de la part des parents : toujours rouler du côté droit et éviter de zigzaguer. Il devint assez habile pour se rendre jusqu'à la Butte. La côte un peu raide qu'il montait en poussant sa bécane, il la descendait comme les autres, en crânant un peu, au grand désespoir de sa grand-mère. Il fallait freiner à temps et avec énergie car au pied de la descente il y avait une courbe fort prononcée. Un jour, un habitant lui avait obstrué la voie avec sa moissonneuse-lieuse. Heureusement il avait eu le temps de se faufiler sur le bord du fossé et de s'engager sur le chemin des Érables qui longe le sud de la rivière et que les gens de Nouvelle appelaient le *Back-Road*.

Une autre de ses aventures aurait pu avoir des conséquences graves. Son père lui avait demandé de se rendre au magasin général, au sommet de la côte de l'église et d'en rapporter un morceau de contre-plaqué. Il était loin de se douter que Claude allait s'y rendre avec sa bicyclette. On devine facilement ce qui devait arriver dans la descente. Le garçon, qui n'avait pas de reste de ses moyens pour contrôler son vélo, devait tenir fermement la pièce de bois qui réagissait dans le vent comme une voile de bateau. Un des coins fut pris dans les rais de la roue arrière et il fit une formidable culbute sur la route de gravier. Une fois de plus il s'en est tiré avec des ecchymoses et de nombreuses égratignures. Quant à sa bicyclette, elle était fort amochée et la pièce de bois portait des écornures. On fit réparer la bicyclette et, pendant quelque temps, Claude fut plus prudent. Pendant des années ce sera pour lui un moyen de locomotion commode et fort utile; il l'utilise encore aujourd'hui.

Il ne faudrait pas oublier les jeux d'hiver assez violents auxquels Claude participait comme les autres jeunes: le patinage et la glissade. Chaque automne, on construisait une patinoire dans la cour de la famille Bélanger. Comme ses amis, Claude avait ses patins à une lame. Il faut dire que, plus souvent qu'à son tour, il se retrouvait sur les fesses quand il ne se cognait pas la tête sur la glace. Aussi pour pousser la rondelle se contentait-il de chausser ses bottes de caoutchouc. Il est content de rappeler qu'au cours des vacances de Noël 1962, il avait accompagné Jacques et Nicole à la patinoire publique installée sur le terrain du jeu de balle, au pied du coteau. Avec un peu d'aide, il était arrivé à se tenir en équilibre et à suivre le rythme de la musique. Il dit avec humour: « C'est là que j'ai appris à valser! »

À Nouvelle, ce ne sont pas les collines qui manquent pour la glissade ; il y en a tout près de la maison des Bélanger. Généralement on traçait les pistes dans les chemins que les cultivateurs empruntaient pour se rendre sur leurs terres au sommet des côtes. Claude et ses amis avaient choisi celui de Pit. Ils utilisaient de rapides toboggans construits par le père de Claude. Il y en avait de différentes dimensions : pour une personne, pour deux, pour trois ; il y en avait même une grande pour huit. Claude rappelle que son père en avait appelé une *La Pie*. C'était celle que les filles préféraient. Les descentes n'étaient pas sans danger, surtout quand le froid avait durci la piste. Claude possédait son propre traîneau qu'il refusait de prêter. Comme ce dernier était très rapide, il crânait et défiait ses compagnons ; parfois il lui arrivait de partir après les autres et de les dépasser. Il avait une habitude plutôt dangereuse : il fermait les yeux pour ne pas voir les obstacles ! Aussi lui est-il arrivé de prendre des fouilles spectaculaires, mais il ne s'est jamais gravement blessé. Claude oubliait son handicap et se comportait comme les jeunes de son âge. Ces derniers l'acceptaient, l'encourageaient et l'aidaient au besoin.

Après le tricycle et la bicyclette, comme tous les autres enfants sans doute, Claude rêvait d'automobile et, dans son ingénuité, il désirait en conduire une. Or, un jour Raymond était venu à la maison avec sa Falcon blanche ; Claude demanda à son parrain en regardant la voiture avec convoitise : « J'pourrais tu essayer ? » Comme le grand frère ne sait rien refuser à son filleul, il lui remit les clés, assuré que le garçon ne pourrait démarrer le moteur ni enclencher l'embrayage. On comprend son étonnement quand l'auto s'est mise en marche pour aller s'arrêter sur une corde de bois de chauffage. Sans songer aux dégâts possibles, Claude manifestait sa joie d'avoir réussi. On reconnaît ici un caractère qui ne cesse de vouloir vivre de nouvelles expériences. Insensiblement, tous ces gestes contribueront à préparer une éventuelle adaptation à une vie d'adulte responsable.

DÉPART DIFFÉRÉ ET VOYAGEMENT

Après le diagnostic peu rassurant des spécialistes de l'hôpital Sainte-Justine, chez les Bélanger on doutait que Claude puisse se développer s'il restait à Nouvelle. C'est à Québec que se trouvait la plus proche école réservée aux enfants handicapés et il n'était pas facile d'y être admis. Par contre, on se demandait comment le fragile Goéland arriverait à s'épanouir en dehors du nid familial. En face de ce douloureux dilemme, on a choisi la solution qui paraissait la plus avantageuse pour l'enfant.

Jules, qui a été ordonné prêtre en 1957, retournait à Québec pour poursuivre des études à l'Université Laval. C'est lui qui entreprendra les démarches auprès de la direction de l'école Cardinal-Villeneuve, une école destinée à la formation des enfants affligés de différents handicaps, y compris ceux qui sont atteints de paralysie cérébrale. Pour ceux qui demeurent aux confins du Québec, il est quasi impossible d'être admis dans cette institution où les refus sont beaucoup plus nombreux que les admissions. Le grand frère réussit quand même à obtenir la promesse qu'on prendrait Claude à l'essai dès qu'il y aurait une place disponible. On exigeait toutefois qu'il subisse au préalable un test d'intelligence. On voulait être assuré de sa capacité à s'adapter à l'enseignement et aux activités de l'école avant de lui imposer les inconvénients d'un long voyage et éviter de faux espoirs chez les parents.

En arrivant à la maison pour les vacances d'été, Jules a mis les parents au courant de ses démarches. D'un commun accord, on a décidé de prendre les dispositions appropriées pour remplir la condition imposée par l'école. On songe à Rimouski, l'endroit le plus proche où l'on peut rencontrer un spécialiste en orientation scolaire. Le service social du diocèse offre cette aide pédagogique qui ne coûte que dix dollars. Pour s'y rendre, c'est un trajet de deux cent quarante kilomètres. Jules s'offre à y conduire la mère et l'enfant quand le temps sera venu.

À la demande expresse de Lucie Bélanger, le docteur Maguire rejoint par téléphone l'abbé Fernand Gagnon et lui expose le problème. Le spécialiste consent à recevoir l'enfant et il fixe le rendez-vous à dix heures le 26 août 1961. Après un sommeil écourté, une route accidentée et l'appréhension de l'inconnu, on peut se demander si Claude se trouvait en des conditions acceptables pour subir ces examens déterminants pour son avenir. Il y a aussi sa difficulté de langage qui constitue un sérieux obstacle pour la partie verbale du test, et sa mère s'en inquiète.

Quoi qu'il en soit, les résultats sont encourageants et bien moins pessimistes que le jugement porté sur les capacités intellectuelles de Claude par les spécialistes de l'hôpital Sainte-Justine. En effet, l'orienteur le classe parmi les talents moyens. Il ajoute une recommandation importante pour ceux qui travailleront à l'adaptation du garçon: «Il aurait besoin d'attention de la part de ses professeurs qui devraient utiliser avec lui des méthodes très concrètes.» Il conclut en affirmant qu'il conviendrait de lui trouver une place dans une institution appropriée et il suggère l'école Cardinal-Villeneuve. Claude dit se rappeler être allé à Gaspé pour subir différents tests. Il ne peut préciser le genre, ne connaît pas les résultats et il n'a trouvé aucun document qui s'y rapporte.

Depuis la sortie de Claude de l'hôpital Sainte-Justine, la mère a tenu le directeur de l'institution au courant de l'évolution de son fils, comme il en avait exprimé le désir. Le 12 juin 1962, en réponse à sa dernière lettre, le docteur Desrochers recommande de continuer la médication prescrite et il engage Lucie Bélanger à suivre les conseils de l'abbé Gagnon. Toutefois, il ajoute que si l'enfant fait des progrès en cours privés, il ne voit aucune objection à leur continuation. Dans la famille, on est perplexe. Les progrès scolaires de Claude sont tellement lents qu'il est impossible de les évaluer. Malgré le dévouement de l'institutrice, on a l'impression qu'il piétine, répétant les mêmes leçons. Aussi, cette dernière suggestion paraît peu opportune.

En juillet 1963, Lucie Bélanger reçoit une lettre de Jeanne-Mance Ratté, une travailleuse sociale attachée à l'école Cardinal-Villeneuve. Cette dernière rappelle l'intervention de Jules pour obtenir l'admission de Claude. Elle énumère les cours offerts ainsi que les soins médicaux et psychologiques auxquels les enfants ont droit. Comme l'institution ne peut recevoir de pensionnaires, la grande difficulté consiste à trouver en ville un foyer nourricier pour les enfants venant de l'extérieur. Elle termine en affirmant que si la Sauvegarde de l'Enfance lui trouve une maison de pension, on acceptera Claude, mais provisoirement seulement, car il doit prouver sa capacité à s'adapter à la vie de l'école et démontrer qu'il a une intelligence assez vive pour suivre l'enseignement.

Cette missive ramène la mère à la dure réalité. Jusqu'à ce jour, elle avait chassé de son esprit l'idée que Claude devrait quitter la maison. Subitement une crainte l'envahit. S'il allait être malheureux loin des siens, privé de leur affection et de leur compréhension? Et ces étrangers avec lesquels il devra vivre, comment le traiteront-ils? Elle se résigne à l'inévitable, non sans quelques larmes discrètes et, pour chasser ses pensées sombres, elle s'applique à la préparation des vêtements dont il aura besoin. Certains sont encore convenables, mais il en faudra davantage car il sera absent pendant plusieurs mois et il n'aura peut-être personne pour réparer ses accrocs.

Avec sa trâlée d'enfants, Lucie peut difficilement confectionner elle-même tous les vêtements et la lingerie indispensable. Aussi, utilise-t-elle le catalogue d'un grand magasin de Toronto pour acheter les costumes et les différents accessoires. Elle pourra toujours faire parvenir par la poste les pièces de vêtements qui manqueront, surtout quand arriveront les grands froids.

Le départ est fixé au 2 septembre, la veille de l'ouverture des classes. Pendant les jours précédents, Claude a visité ses amis et il n'a pas oublié sa grand-mère. Il rappelle avec émotion qu'elle l'avait serré dans ses bras en lui disant qu'elle prierait pour que tout aille bien et qu'il ne s'ennuie pas. Fort curieusement, Claude ne manifestait aucune inquiétude. Pour lui, il s'agissait d'une balade agréable et il ne songeait pas au lendemain. Dans la maison, il y avait un silence inaccoutumé. Le père, revenu récemment de la Côte-Nord, était inquiet et souvent la mère s'était retirée à l'écart pour pleurer.

En plus de sa garde-robe, Claude apportait son jeu de construction si utile pour développer l'agilité de ses doigts et aussi ses crayons et ses cahiers à colorier. Comme Jules doit se rendre à Québec pour ses cours, il amène dans sa Coccinelle la mère et l'enfant. Il y a arrêt à Rimouski pour dîner chez Mariette. Claude n'a pas assez de ses deux yeux pour admirer le pont de Québec, il est surpris de la hauteur des édifices, du nombre incroyable de rues et il se demande comment il réussira à ne point s'y égarer. C'est un paysage fort différent de sa Nouvelle natale avec ses montagnes et ses vallées et de Miguasha dont le silence n'est rompu que par le clapotis des vagues et le cri des goélands.

Jules laisse ses deux passagers au foyer nourricier qui, dorénavant, remplacera la maison de Nouvelle. Lucie y prend le souper avec son fils tandis que le grand frère se rend chez l'oncle Frank Green marié à Imelda Damboise, la sœur de sa mère. À la fin de la soirée, il viendra chercher Lucie pour la conduire à Lévis où elle prendra le train de nuit. Elle doit reprendre son travail au bureau de poste à midi le lendemain. C'est à ce moment que Claude réalise le dramatique de sa situation ; il se rend compte qu'on va le laisser seul avec des étrangers. La mère a dû se sauver rapidement avant que l'enfant ne s'agrippe à ses vêtements. Elle a pleuré tout le long du trajet; chez l'enfant, ce fut un orage de larmes qui dura toute la nuit.

Claude retournait dans sa famille au moins deux fois pendant l'année scolaire. Quand il ne pouvait voyager avec des Nouvellois qui rentraient visiter la parenté, il prenait le train. Pour le premier Noël, il est descendu avec Jules. Couché sur la banquette arrière, il a dormi pendant presque tout le trajet. Le moment de partir a été déchirant: Claude refusait obstinément de quitter ses parents. Ses pleurs abondants n'ont pas réussi à vaincre leur détermination. Pendant plusieurs années, le départ pour Québec sera pénible. Claude dit à ce propos: « J'ai versé des larmes pour en remplir des chaudières. » Une autre fois, usant de l'hyperbole, il affirme qu'il y en aurait suffisamment pour faire monter le niveau de la baie des Chaleurs!

Le voyage par train était plus compliqué, car il s'effectuait en grande partie la nuit. À Matapédia, Claude s'installait dans un wagon-lit que sa mère n'oubliait jamais de réserver, même si le coût en était assez élevé. À Lévis, comme on détachait le wagon-lit du convoi, il pouvait dormir jusqu'à sept heures et demie. Après il se débrouillait pour monter sur le traversier et commander un taxi qui le conduisait à sa maison de pension. Comme il avait de la difficulté à transporter ses bagages, sa mère en expédiait une partie par la poste. Dans le voyage inverse, le train quittait Lévis en pleine nuit. Au commencement, les gens de son foyer nourricier le conduisaient à la gare. Installé dans son compartiment, il s'endormait rapidement et on devait le réveiller avant l'arrivée à Matapédia. Quand on ne venait pas le chercher en automobile, il prenait le petit train de la baie.

Il n'a pas changé ses habitudes. Il voyage avec des amis ou des connaissances et souvent il prend le train. Un soir froid et venteux de décembre, le fleuve qui charriait des masses énormes de glace avait entraîné le traversier vers l'île d'Orléans. Il faudra deux heures avec l'aide d'un brise-glace pour qu'il réusisse à s'amarrer au quai de Lévis. Heureusement le train n'était pas encore passé. Il dit ne pas avoir eu peur mais il était fatigué, car ce jour-là il transportait deux lourdes valises. Ces voyages sont devenus pour lui une routine. Parfois, il arrive à Nouvelle à l'improviste; un jour il a même essayé de mystifier les siens en se déguisant. Il lui suffisait de porter des verres fumés, une casquette un peu excentrique, un manteau neuf et de marcher droit.

Jules a profité de son séjour à Québec pour faire connaître la ville à son jeune frère; quelquefois il l'invitait au restaurant. En le reconduisant au foyer nourricier, il demandait à Claude de lui indiquer la direction. Comme le garçon pouvait difficilement dire: tourne à droite, tourne à gauche, il le lui indiquait de la main, et il s'est rarement trompé.

Claude avoue que son grand frère ne le visitait pas souvent, mais il ne lui en fait pas de reproches. Au contraire, il croit que Jules voulait l'empêcher de trop se fier à lui et éveiller un ennui inutile. Philosophe, Claude explique que c'était sans doute bon pour lui que personne de sa famille n'habite Québec en permanence. Il aurait sans doute trop compté sur eux et n'aurait pas appris à se débrouiller seul.

LES FOYERS NOURRICIERS

On sait déjà que Jules avait entrepris des démarches pour obtenir l'admission de Claude à une école pour handicapés. Avec l'aide de la cousine Rachel Damboise et de la Sauvegarde de l'Enfance, on avait déniché une pension convenable. Tous les arrangements étant conclus, on avait fixé le départ pour la veille de l'ouverture de l'année scolaire. Ce fut une décision crucifiante d'arracher cet enfant fragile à la famille qui le protégeait pour le transplanter dans un milieu étranger, peut-être hostile. Jusque-là, Claude avait été encouragé par l'attention affectueuse de sa mère, par la compréhension de son père, de ses sœurs, de ses frères et de ses amis. À Nouvelle, tout le monde connaissait Ti-Claude et on l'aimait.

Sans doute faudrait-il être mère d'un enfant handicapé pour imaginer l'angoisse de Lucie Bélanger quand le temps fut venu de transporter l'oiseau blessé dans un nid lointain et inconnu. Elle n'avait pas le choix : elle devait penser à l'avenir, au temps où elle ne sera plus là, à celui où tous les oisillons de la famille Bélanger se seront dispersés. Elle souhaite avec une telle ardeur qu'un jour, malgré cette infirmité qu'elle sait irréversible, son fils cadet puisse arriver à se libérer de ses entraves et elle est prête aux plus grands sacrifices. Toutefois, elle n'arrive pas à chasser ses craintes. Il y a les nombreux dangers de la ville, les risques d'accident, les impondérables d'une existence toujours difficile pour un être démuni. À certains moments le doute surgit dans son esprit. Après douze années d'efforts constants et si peu de progrès tangibles, elle se demande si un tel dérangement en vaut vraiment la peine. Peut-être qu'un jour, comme les forces de la nature qui font éclater les plus durs rochers, la ténacité de Claude arrivera-t-elle à provoquer un miracle. Quant à ce dernier, il est loin de soupçonner tous les changements que cette transplantation va provoquer dans sa vie.

Le jour même de son arrivée à Québec, le garçon s'installait dans son premier foyer nourricier au 1887, 4e Avenue dans le quartier Limoilou, chez monsieur et madame Gérard Garneau. La Sauvegarde de l'Enfance qui avait conseillé cette maison défrayait le coût de la pension. Il restait bien des choses à payer: les vêtements, les objets de première nécessité, les voyages, etc. Les frères et les sœurs qui travaillaient avaient promis une aide généreuse.

Le couple avait un enfant de deux ans. Le mari pratiquait le métier de tailleur d'habits pour une importante manufacture de Québec. La femme, Lorette Cyr, était originaire de Saint-Elzéar en Gaspésie. On espérait que cette affinité diminue l'impact du dépaysement et que Claude retrouve, grâce à cette concitoyenne, un peu de l'atmosphère du pays natal. Il aurait quelqu'un à qui parler de la beauté des paysages, du travail des bûcherons et des pêcheurs, des concerts discordants des goélands, de la senteur de la mer... Cela l'aiderait sans doute à se créer un univers mental plein d'images de la Gaspésie qui amoindriraient les effets de son éloignement.

Malgré cette présence rassurante, Claude se sentit abandonné quand sa mère et son frère furent partis et, comme un goéland qu'on aurait renfermé dans une volière, il fut pris de panique. Les interventions bienveillantes de la femme n'ont pas suffi à le rassurer. Il a pleuré toute la nuit et le lendemain matin il a refusé de se rendre à l'école, même si une voiture était venue le chercher.

Loin de ses amis et de son milieu naturel, Claude était désemparé. Il ne peut même pas s'organiser un îlot de solitude: le bébé partage sa chambre, fouille dans ses affaires, le réveille souvent la nuit par ses pleurs. Cadet de la famille Bélanger, il n'a pas appris à vivre avec des enfants plus jeunes que lui et les caprices du bambin l'énervent. Aussi, arrive-t-il qu'il se mette en colère. Comme diversion, on l'envoie se promener dans les rues des alentours ou faire des commissions. Certains dimanches, on l'invite à une promenade dans la Pontiac de monsieur Garneau, un modèle de l'année 1953, se rappelle Claude. À l'intérieur de la maison, une chose ne cesse de le hanter: le prélart de sa chambre, rouge avec des lignes jaunes irrégulières, est en tous points semblable à celui du salon de la maison de ses parents. Chaque jour il lui rappelle qu'il est loin des siens et à cause de cette coïncidence cette pensée devient presque une obsession.

Le 1er mai 1965, la famille Garneau déménage dans un appartement de la 17e Rue. À cet endroit, Claude a une chambre à lui tout seul. Quand les maîtres de la maison recevaient des parents ou des amis, il devait s'y retirer. Ainsi isolé, il manipulait ses blocs, rêvait à sa famille et aux amis laissés à Nouvelle ; parfois il s'étendait sur son lit et imbibait de larmes son oreiller. Des représentants de la Sauvegarde de l'Enfance le visitaient de temps à autre pour s'assurer qu'il ne manquait de rien. Il est resté dans cette famille jusqu'au mois de mars 1966. La femme, devenue enceinte, n'était pas en état de le garder plus longtemps.

Claude a gardé un excellent souvenir de la famille Garneau et il lui rend visite deux ou trois fois par année. Il faut dire que le mari et la femme n'ont jamais cessé de s'intéresser à lui et à ses progrès. Il les a invités au cinquième anniversaire du Gîte dont il sera question plus loin. En 1976, il les a reçus à souper et, en 1978, à l'occasion d'un voyage en Gaspésie pour visiter des parents de Lorette, toute la famille a passé une journée au chalet de Miguasha.

Il s'est ensuite retrouvé chez monsieur et madame Victorien Bertrand au 456 de la rue Saint-Alexis, dans la paroisse du Sacré-Cœur. Ils avaient dix enfants dont neuf restaient encore à la maison. Le mari, mécanicien de son métier, avait quitté l'atelier où il travaillait depuis quelques années, à cause d'une santé défaillante. Il avait accepté pour un salaire moindre des tâches d'entretien à l'Université Laval. Ils gardaient quatre pensionnaires, eux aussi handicapés. La femme avait choisi ce moyen pour aider à boucler le budget familial. Dans ces conditions, on comprend qu'elle fut nerveuse et que souvent des choses restent à la traîne dans la maison.

Le grand nombre de personnes réunies dans cette maison rappelait la famille Bélanger, mais la vie qu'on y menait était différente et souvent perturbée par des conflits de personnalités. Pour Claude ce fut plus difficile que dans son premier foyer nourricier. Au commencement il partageait sa chambre avec l'un des fils, plus jeune que lui. La conduite de ce dernier lui tombait sur les nerfs parce qu'il laissait tout en désordre et déplaçait les objets de son compagnon. Pour se calmer et chasser l'ennui, il s'amusait à changer la disposition des meubles de sa chambre, il accrochait aux murs des souvenirs de la Gaspésie, des photos de famille. C'était déjà la base de l'organisation de son futur logement, le début de ce qui deviendra Le Gîte de Miguasha.

Ce qui lui était le plus pénible, c'est l'attitude des autres enfants qui s'acharnaient à l'agacer jusqu'à ce qu'il se fâche. Ses flambées de colère étaient éphémères et il avait assez de force morale pour supporter les tracasseries. Il dit tenir de sa mère ce trait de caractère. Il arrivait qu'il soit puni pour les autres, car il était incapable de se défendre mais jamais il n'a dénoncé les coupables. Les jeunes de la maison abusaient de cette attitude. On ne l'a jamais frappé mais on l'a souvent enfermé dans sa chambre. Il participait à l'entretien de la maison. Il lavait le plancher de sa chambre et parfois aidait les autres à laver celui de la cuisine.

Il ne s'est jamais plaint de la nourriture, même si elle était différente de celle de la cuisine de sa mère. Il se rappelle que madame Bertrand faisait d'excellents gâteaux. Les pensionnaires avaient droit au même menu que les enfants de la maison. Un seul inconvénient : quand il y avait de la visite, les pensionnaires devaient manger après les autres, mais il en restait toujours suffisamment. Ils avaient droit à une collation avant le coucher.

Le contrôle des allées et venues était sévère. Avec un si grand nombre d'enfants, ce n'était pas une précaution inutile. Il fallait rentrer à l'heure fixée et se coucher tôt. La télévision suscitait de nombreux conflits : chacun voulait suivre son programme favori et on n'avait qu'un seul appareil récepteur. Souvent Claude disparaissait discrètement pour se rendre chez madame Gaulin qui habitait tout près afin d'y suivre son programme favori. Depuis, le contact n'a jamais été rompu avec les membres de la famille Gaulin qui ont conservé pour lui une grande amitié. Pour Claude tout a changé quand il a commencé à travailler à mi-temps. Il s'est alors procuré un petit appareil qu'il a placé dans sa chambre. C'est ainsi qu'il a pu suivre sans dérangement les événements d'octobre 1970. C'est à cette époque qu'est né son intérêt pour les problèmes politiques du Québec. À l'occasion, Claude arrête saluer monsieur et madame Bertrand ; il les a même invités à l'une de ses fêtes annuelles.

Même s'il n'a pas été maltraité, Claude avoue qu'il n'a jamais été heureux en foyer nourricier. Il a habité le dernier pendant six ans. Malgré tout, il parle sans amertume de cette période de sa vie. Il croit que la principale cause des conflits avec ses compagnons tenait de son incapacité à s'exprimer clairement. À Nouvelle, son entourage s'était accoutumé à son langage saccadé et si on ne comprenait pas tout, on devinait sa pensée. Il lui arrive de revoir certains de ses anciens compagnons de pension. Ils ont appris à mieux le connaître et plusieurs l'admirent maintenant qu'il a vaincu le sort et conquis sa liberté.

L'ÉCOLE CARDINAL-VILLENEUVE

Comme on le sait, Lucie Bélanger était immédiatement repartie pour Nouvelle. Elle ne pouvait s'attarder même si elle avait l'impression de se sauver comme une coupable. Il y avait les autres à la maison et son travail au bureau de poste la réclamait. Dès son retour, elle s'était empressée de téléphoner à Lorette Garneau. Cette dernière n'avait pas cherché à lui cacher le désarroi de Claude ni son refus de se lever pour se rendre à l'école. Elle avait rassuré la mère en lui disant que son fils s'était calmé, qu'il avait bien mangé et qu'il avait promis d'aller en classe le lendemain.

Chaque matin, un taxi ramassait les enfants handicapés qui fréquentaient l'école Cardinal-Villeneuve et il les ramenait après la classe. Une équipe de bénévoles servait le dîner à tous les élèves. Claude se souvient d'un monsieur Lachance fort gentil qui le prenait à la porte, même s'il devait faire un détour pour lui éviter la traversée de la rue. Ce qui a le plus étonné le jeune Gaspésien dépaysé, c'est la masse imposante du Château Frontenac. Il ne s'était jamais imaginé qu'on puisse construire de monuments si gigantesques, presque aussi hauts que la montagne qui se dresse près de son village natal.

Il constate que les alentours sont fort différents de la rue de son foyer nourricier. Le parc des Gouverneurs avec sa verdure et ses arbres lui rappelle un coin de campagne. Il a la surprise de découvrir une vue magnifique sur le fleuve Saint-Laurent. Chaque fois qu'il sortait pour la récréation, son regard y était attiré, comme si on avait transporté jusqu'à Québec un morceau de la baie des Chaleurs. Il y manquait la senteur de la vraie mer, mais les goélands étaient au rendez-vous et leur vol dans le ciel ravivait en lui l'amour des grands espaces.

Le 13 septembre, une lettre de l'école rassurait les parents. Claude qui ne pouvait encore écrire avait réussi quand même à exprimer certains sentiments en y joignant deux cartes postales. Il savait que sa mère les collectionnait. De plus, sur l'une d'elles on découvrait une partie de l'édifice abritant son école. La correspondante affirmait que le garçon commençait à s'adapter malgré un premier problème, celui de se retrouver dans une classe d'enfants beaucoup plus jeunes que lui et dont les intérêts sont différents des siens. Elle ajoutait qu'il a été fier de montrer ses cahiers à son frère Jules qui s'informe de lui régulièrement; il a même téléphoné le jour même.

Cette institution privée ne recevait que des enfants affligés de handicaps physiques dont les causes sont, entre autres, la paralysie cérébrale, la dystrophie musculaire, la poliomyélite mais qui, au point de vue intellectuel, sont aptes à suivre le programme régulier des écoles primaires. Ils sont alors plus d'une centaine répartis en cinq classes où l'on donne l'enseignement de la 1re à la 9e année. Sauf pour les débutants, les cours sont groupés par deux : 2e et 3e, 4e et 5e, 6e et 7e, 8e et 9e. On préparait les élèves de 7e et de 9e année aux examens officiels.

Comme il y aura bientôt un demi-siècle que cette institution se voue exclusivement à l'éducation et à l'adaptation de ces enfants, il convient sans doute à ce point de notre récit de rappeler les principales étapes de son évolution. C'est en 1935 que la Ligue de la Jeunesse féminine de Québec décide d'organiser une classe pour les enfants handicapés qui ne peuvent être admis dans les écoles publiques. Comme l'archevêque de Québec s'est intéressé à cette œuvre, en 1936 on a décidé de donner à cette dernière le nom d'école Cardinal-Villeneuve.

Pendant les trois premières années, la classe change deux fois de local. En 1938, la Ligue décide d'acheter une maison de quatre étages au numéro 7 de l'avenue Sainte-Geneviève. On pourra y recevoir une centaine d'enfants et il y a un espace suffisant pour ajouter à l'enseignement, la participation de différentes spécialités. En 1947, Madeleine Bergeron qui occupait un poste à la direction de la Ligue, est désignée comme directrice générale de l'école. Pendant trente-trois ans, l'institution fonctionne grâce au bénévolat et grâce à l'aide pécuniaire provenant de sources gouvernementales — provinciales et fédérales —, de la Ligue et aussi des bénéfices de la Journée annuelle de la Pomme organisée chaque automne. À partir de 1968, l'école est entièrement financée par le ministère du Bien-Être et de la Famille.

En 1969, l'institution se transporte dans l'ancien collège Mary Mount, au 2975 rue Saint-Louis. Elle change son statut, augmente sa clientèle jusqu'à huit cents et son personnel jusqu'à deux cent cinquante. Le Centre Cardinal-Villeneuve possède maintenant tous les services indispensables à la formation intellectuelle et à l'adaptation des enfants handicapés qu'elle reçoit dès le plus jeune âge.

Il nous faut revenir au 4 septembre 1963. Après avoir fait subir à Claude des examens sur les principales matières scolaires, on décide de le placer en 1re année pour le français et dans la classe de 2e et de 3e année pour les autres matières. Aussi incroyable que cela puisse paraître pour un garçon de douze ans qui ne manque pas d'intelligence, il devra recommencer les cours suivis antérieurement: les cinq années de Nouvelle et de Saint-Louis. Autrement dit, en lecture et en écriture, il doit refaire pour la sixième fois la première année du cours élémentaire. Il faut dire qu'on utilisait la même méthode phonétique que dans les écoles publiques. Il n'y a aucun doute que Claude savait par cœur les sons, les mots et les phrases, mais il n'arrivait pas à les prononcer correctement. Après trois années additionnelles, il semble bien qu'il ait fort peu progressé en ces matières. Huit années à entendre les mêmes rengaines! On peut se demander par quelle chance il en est sorti sans être complètement abruti.

Au cours de leurs examens, les spécialistes avaient découvert que Claude était dur de l'oreille gauche. Ils ont cru que ce pouvait être la cause de sa difficulté à apprendre à lire. Aussi lui a-t-on procuré un appareil auditif. Il entendait plus clairement les explications de l'institutrice, mais il y avait de sérieux inconvénients : l'appareil amplifiait aussi les cris de ses voisins de classe et cela l'étourdissait.

J'ai examiné quelques-uns de ses cahiers d'écriture de cette époque. C'était la copie de mots et de phrases du livre de lecture. Si on les avait placés parmi ceux des autres élèves de la classe, on aurait eu de la difficulté à les distinguer, tellement il s'était appliqué. Il explique : « Ça me prenait parfois plus d'une heure pour écrire une seule page. » Il dit avoir détesté la lecture parce qu'on s'acharnait à le faire lire à haute voix et qu'il bloquait au départ à cause de sa difficulté d'articulation. On passait immédiatement au suivant. Humilié, Claude n'en laissait rien paraître espérant pouvoir arriver un jour à vaincre cet obstacle.

Et les dictées ? On en faisait alors grand usage pour l'apprentissage de l'orthographe. Claude se butait à une autre difficulté : le manque de coordination des gestes de la main. « Ça me prenait beaucoup de temps à écrire le premier mot », avoue-t-il. Les autres élèves avaient fini le texte qu'il avait à peine commencé à écrire le deuxième mot. Chaque fois, il s'entêtait à continuer, à aller aussi loin que ses moyens le lui permettaient, mais il comprenait que l'institutrice et les autres enfants ne pouvaient perdre leur temps à l'attendre.

Des spécialistes venaient à l'école régulièrement pour évaluer les progrès des enfants et pour conseiller les exercices appropriés. Claude rappelle qu'on l'a entraîné à marcher droit en le forçant à regarder dans un grand miroir. Il y avait aussi la bicyclette stationnaire pour les jambes et des appareils à ressort pour exercer les mains. On lui avait aussi imposé des exercices orthophoniques. Peut-être ces derniers n'avaient pas été suffisamment réguliers pour produire des résultats appréciables ; il avait toujours un problème d'élocution.

Si, pendant ses trois années à l'école Cardinal-Villeneuve, Claude a peu progressé en lecture et en orthographe, il a quand même avancé en d'autres domaines. Il a acquis un vocabulaire plus étendu, il a appris à construire des phrases orales complètes et généralement correctes. Il a aussi évolué au point de vue de son insertion à la vie de groupe. Il s'est habitué à un univers différent de celui de sa famille et de son village natal et il s'est fait de nouveaux amis auxquels il restera attaché.

Claude s'était très tôt révélé débrouillard, toujours prêt à aider les autres. Il était sage en classe, ne dérangeait pas ses voisins et les institutrices admiraient sa ténacité. Il faut dire que le personnel de l'école s'efforçait d'y maintenir une atmosphère de joie. On y célébrait les anniversaires et, pour Noël, on dressait le sapin traditionnel, un vrai qui sentait bon la forêt. La directrice offrait à chacun un cadeau.

À la fin de sa troisième année, Claude allait démontrer ses qualités d'organisateur en prenant l'initiative de préparer une fête en l'honneur de l'institutrice Céline Tremblay pour souligner son anniversaire de naissance et son prochain mariage. Il avait obtenu la collaboration de tous les élèves pour décorer la salle de classe et il avait même décroché une demi-journée de congé. Il s'était occupé lui-même du cadeau-souvenir : un bracelet en agates de la Gaspésie, peut-être bien des pierres de la grève de Miguasha.

Son équilibre peu stable lui occasionnait parfois des mésaventures. C'est ainsi qu'un jour, à l'école Cardinal-Villeneuve, il est tombé en s'assoyant maladroitement sur sa chaise et le couvercle du pupitre s'est rabattu sur sa figure. Comme il saignait abondamment, on l'a transporté à l'Hôtel-Dieu. Les médecins qui lui ont fait un pansement ne se sont pas aperçus qu'il avait une fracture. La blessure a guéri en laissant comme séquelle une obstruction du sinus qui nuisait à la respiration, et une déviation fort apparente de l'appendice nasal. Ce n'est que le 13 septembre 1978 qu'il est retourné au même hôpital pour une intervention chirurgicale qui a tout remis en place. Claude avait apporté son dernier cahier du Gîte et il invitait les amis qui le visitaient à y écrire. Plusieurs se sont permis des mots d'humour: *Bonne chance avec ton nouveau nez!* J.C. *Avec cette nouvelle beauté, soit prudent, G.B. J'espère que tu reviennes vite et que désormais tu respires à pleines narines*. R.S-O.

Claude a gardé un excellent souvenir des trois années scolaires passées à Cardinal-Villeneuve. Il parle avec éloges des institutrices et aussi de la directrice. Souvent il se rendait au bureau de cette dernière pour le plaisir de jaser et elle l'écoutait patiemment. Surprenant chez un garçon lourdement handicapé de la parole, ce désir constant de communiquer et qui malgré tout réussissait à se faire comprendre. On se rappelle qu'il posait le même geste dès ses premières années à l'école des religieuses de Nouvelle.

La figure sympathique de Madeleine Bergeron est restée gravée dans la mémoire de tous les anciens élèves de l'école Cardinal-Villeneuve où elle a été à la tâche jusqu'en 1981. En 1980, le Centre instauré en 1969 est partagé en deux sections autonomes dont l'une sera consacrée à l'enseignement et intégrée dans le réseau des écoles de la Commission scolaire de Sainte-Foy. On lui a donné le nom de Pavillon Madeleine-Bergeron.

LES CLASSES DE TRANSITION

À la fin de l'année scolaire 1966, la direction de l'école Cardinal-Villeneuve avait averti les parents qu'on ne pouvait garder Claude plus longtemps. Ses retards pédagogiques, particulièrement en français, empêchaient son intégration dans les classes régulières. On croyait le temps venu pour lui de se préparer à une occupation adaptée à ses capacités. On comprend l'inquiétude de la famille Bélanger : à Nouvelle et dans la région, il n'existe aucune école d'initiation au travail pour les enfants handicapés.

Le 11 août 1966, la travailleuse sociale Rachel Damboise, informe la commission scolaire de Nouvelle que Claude doit quitter l'école Cardinal-Villeneuve et s'inscrire dans le réseau des écoles publiques. Sachant que cette municipalité ne possède pas l'institution appropriée, elle suggère que le garçon soit admis dans une classe dite préparatoire à l'apprentissage d'un métier de la Commission des écoles catholiques de la ville de Québec. Arthur Bélanger n'étant pas un contribuable de Québec, une entente doit intervenir entre les deux commissions scolaires concernées. Heureusement, le cas fut rapidement réglé. De son côté, la Sauvegarde de l'Enfance continue à fournir un foyer nourricier.

Au début de septembre 1966, Claude revient à Québec et le 6 on l'inscrit dans une classe destinée aux élèves ayant des retards pédagogiques. Elle reçoit des jeunes laissés en cours de route par le système d'éducation organisé en fonction des élèves normaux. La plupart ont doublé et même redoublé plusieurs années du cours élémentaire. À cette époque, on connaît les principes de l'enseignement individualisé, mais on ne possède pas encore les techniques et le personnel qualifié. On désigne ces classes par de différents euphémismes afin de ne pas indisposer les parents : classe pour enfants exceptionnels, classe de rattrapage, etc., mais ce sont en réalité des classes pour les enfants mésadaptés, incapables de suivre l'enseignement régulier. Certains n'ont pas encore appris à lire convenablement pour des causes diverses comme la dyslexie ou un handicap de la parole comme celui dont Claude est affligé. Certains ont de faibles capacités intellectuelles, d'autres souffrent de troubles de comportement. Ces derniers ont perturbé les classes qu'ils ont fréquentées et souvent, ils ont été renvoyés. Claude les qualifie de vrais petits diables. Au début, quelques-uns parmi ces derniers se sont moqués de son infirmité, ce qui lui était rarement arrivé auparavant. Comme il avait fait sourde oreille à leurs railleries, ils ont cherché dans la classe d'autres souffre-douleur plus agressifs.

Malgré un degré variable d'avancement des élèves de cette classe spéciale, l'enseignement se situait généralement au niveau de la 4e année du cours élémentaire, quelques fois de la 5e. Une partie du temps était employée aux matières du programme régulier, surtout le français; l'autre partie était consacrée aux travaux manuels. Il arrivait que le professeur trouve quelques minutes pour donner un enseignement particulier, spécialement pour corriger les retards en lecture, un handicap sérieux qui empêchait l'élève de s'occuper seul à étudier ou à lire.

Un jour, le professeur Camille Roy avait suggéré la préparation d'un cahier de coupures de revues, de catalogues ou de journaux et chaque élève devait monter le sien. Le choix du sujet était libre: animaux, outils, arbres, fleurs, meubles, maisons, etc. Claude avait choisi l'automobile. La mécanique l'avait toujours intéressé et, n'eût été son manque de coordination, il aurait sans doute choisi le métier de mécanicien. Dans cette activité, il fera la démonstration d'un trait fondamental de son caractère: aller le plus loin possible, quels que soient les obstacles. À ce moment-là, il demeurait à la pension de la rue Saint-Alexis et faisait matin, midi et soir le trajet à pied de la maison à l'école sise au pied de la Pente douce. Vingt minutes chaque parcours, une heure et demie par jour et pas moins de six kilomètres.

Le professeur avait donc demandé à chaque élève de préparer un album; Claude a réussi à lui en présenter quatorze. J'ai pu les feuilleter: sa mère les conserve précieusement et le garçon est fier de les exhiber à l'occasion. Afin de recueillir la documentation, chaque samedi il se rendait à pied chez les vendeurs d'automobiles de la ville de Québec; il les a tous visités. Ces derniers se sont intéressés à son projet et, comme son handicap n'enlève en rien à sa facilité de convaincre, il a amassé une quantité considérable d'illustrations. Il ne se contentait pas des plus récents modèles; il voulait remonter aussi loin que possible dans le temps et faire ainsi l'histoire de l'évolution des voitures. Albert Mercier, le directeur de l'école Saint-Joseph lui a adressé une lettre de félicitations pour l'excellence de son travail. Claude la conserve précieusement: c'est une attestation de l'un de ses premiers succès.

C'était l'année préparatoire des fêtes du tricentenaire de la Confédération et de l'Exposition universelle de Montréal. À cette occasion, on avait décidé de faire construire aux chantiers maritimes de Lauzon une réplique de la Grande Hermine de Jacques Cartier. Une polémique s'était élevée entre les habitants de Québec et ceux de Gaspé. Les premiers voulaient qu'après les fêtes de Montréal le navire soit installé à Québec; les autres prétendaient qu'il devait être mouillé dans la baie de Gaspé. Et chacun avançait des arguments sérieux. Sans doute Cartier avait-il passé un hiver à Québec, mais c'est à Gaspé qu'il s'est d'abord arrêté et qu'il a planté une croix, symbolisant par ce geste la prise de possession du pays. Cette controverse s'était transportée à l'école et Claude, on s'en doute bien, avait pris parti pour les Gaspésiens, si bien que pendant quelque temps on l'avait surnommé *Hermine*. Il répliquait à ses compagnons:

— Vous avez tout ici, laissez donc quelque chose aux gens d'en bas!

Les élèves de cette classe fréquentaient régulièrement l'atelier des travaux manuels dirigé par des spécialistes. Claude ne pouvait exécuter les mêmes pièces que les autres à cause de son manque de coordination qui aurait pu provoquer un accident. Il s'est rabattu sur des projets moins risqués, mais qui exigeaient une grande patience. C'est ainsi qu'après plusieurs échecs, il a réussi à monter un cendrier sur pied en collant les uns aux autres des bâtonnets de sucettes. Des centaines de pièces minuscules à manipuler et à coller avec soin. On peut considérer cette réussite comme un tour de force quand on connaît sa difficulté de coordination des gestes de la main. Il a offert cette première pièce de sa confection à sa mère qui la conserve précieusement. En plus du collage de petites pièces de bois, il s'est aussi entraîné au maniement de la scie sauteuse manuelle, la scie à découper comme on dit communément. On verra plus tard comment il saura tirer profit de cet apprentissage.

Dans une lettre datée du 14 juin 1967, la direction de l'Enseignement à l'enfance inadaptée s'adressait aux parents de Claude dans les termes suivants :

> « Maintenant Claude a quinze ans le temps est venu de lui enseigner un métier. Nous l'avons inscrit à l'école Notre-Dame de Grâce de la rue Arago. Il pourra se spécialiser en menuiserie, en électricité, en peinture... »

Il s'agissait d'une lettre circulaire ne tenant point compte des cas particuliers. On voit difficilement Claude en menuiserie, électricité ou peinture en bâtiment. Passe pour la peinture s'il s'agit d'art, car il s'y intéresse. Les cours ont commencé le 6 septembre.

Claude a la tête bourrée d'images et de souvenirs. Lors de la première leçon de dessin, le professeur avait laissé aux élèves le choix du sujet, mais il avait quand même suggéré des formes géométriques qu'il croyait plus faciles à exécuter, surtout pour ceux qui manquaient d'imagination. Ce genre ne convenait guère aux gestes naturels de Claude ni à ses goûts. Aussi demanda-t-il la permission de dessiner la mer. Il a peint de mémoire le rocher Percé. Quelques jours plus tard, il a demandé au professeur la plus grande feuille de papier blanc dont il disposait et il a dessiné au crayon noir le village de Nouvelle, plaçant au bon endroit l'église, l'école, la gare, le magasin général, les rues et les maisons. Ce désir de s'exprimer par le dessin et la peinture persistera et son habileté se développera.

Comme dans les autres classes de la Commission des écoles catholiques de la ville de Québec, les exercices de gymnastique étaient obligatoires et les élèves devaient se procurer les vêtements appropriés. Claude participait à ceux qui n'exigeaient pas un effort dépassant ses capacités physiques; on l'avait exempté des exercices trop violents: il était incapable de courir et de sauter comme les autres élèves.

Pendant ces deux années de transition, on observe chez Claude les mêmes attitudes que pendant les années antérieures. Partout, et sans effort particulier, il réussit à se faire des amis, dont plusieurs lui sont restés fidèles. Il témoigne de la gratitude à ses professeurs dont il n'a pas oublié les noms. En allant d'une école à l'autre, il s'est vite aperçu qu'il n'était pas le seul handicapé. Certains de ses compagnons ont, plus que lui, de la difficulté à vivre. Quelques-uns, apparemment normaux, souffrent de complexes qui les rendent malheureux: timidité, troubles familiaux, déficience intellectuelle, esclavage du tabagisme, etc. D'autres, mal aimés, sont insupportables pour leur entourage. Il ne se sentait pas amoindri dans cet univers troublant.

Après dix années d'école, il comprend que c'est moins que jamais le temps de lâcher : il lui reste encore une longue envolée pour atteindre l'autonomie et la liberté. Et, malgré sa blessure, le goéland courageux s'entête à continuer son pénible essor aussi loin que ses forces pourront le lui permettre. Même si l'école secondaire polyvalente lui paraît encore inaccessible, il rêve d'y aller un jour pour apprendre un métier qui le rendra autonome.

Au cours de l'automne 1967, Claude s'est rendu deux fois à l'Exposition universelle de Montréal et il en a gardé un souvenir très vivace. À cette occasion, il a monté deux albums contenant des cartes, des illustrations et des photographies montrant les lieux et les édifices auxquels il s'était le plus intéressé.

La première fois, il était monté à Montréal seul, en autobus. Sa sœur Raymonde était allée le chercher au terminus et il était resté chez elle toute la fin de semaine avec plusieurs autres membres de la famille Bélanger. Samedi et dimanche, les 14 et 15 octobre, en leur compagnie, il avait parcouru en tous sens Terre des Hommes, visité le plus grand nombre possible de pavillons et emprunté les moyens de transport offerts aux visiteurs. Après ces deux jours fort bien remplis, il avait l'impression qu'il restait encore beaucoup de belles choses à découvrir. Aussi, le 18 suivant y est-il retourné en autobus, avec un groupe d'élèves de l'école Notre-Dame de Grâce.

Ce jour-là, il avait plu abondamment pendant tout le trajet de l'aller et aussi pendant le retour. Heureusement, il y avait eu de nombreuses éclaircies pendant la journée, ce qui avait permis de visiter les lieux sans trop d'inconvénients. Il se rappelle que quelques élèves avaient été malades au cours du voyage; il les soupçonne d'avoir ingurgité de l'alcool avant le départ. Leur guide les avait autorisés à se grouper par trois ou quatre avec la recommandation expresse de ne point se séparer. Pour se retrouver dans la foule compacte, ils portaient tous au cou un foulard d'un vert et d'un jaune criards. On leur avait donné rendez-vous à seize heures à la sortie. Tous y étaient à l'heure fixée.

Claude a trouvé en ces lieux de nombreuses occasions d'émerveillement. Le pavillon de la France l'a particulièrement impressionné. Pour lui, qui est passionné des grandes orgues, la structure blanche et élancée de cet édifice représentait un instrument de musique immense, lançant ses tuyaux vers le ciel. Les éléments culturels exposés à l'intérieur avaient aussi retenu son attention. Après, c'est celui du Québec qu'il avait préféré, peut-être par sentimentalité. Il avait été intrigué par le pavillon de la compagnie de téléphone Bell à cause de l'aspect spectaculaire des films qu'on y projetait.

Il s'était aussi rendu à la Ronde et il était monté dans quelques-uns des manèges. Il n'avait pas manqué de visiter la réplique du bateau de Jacques Cartier qui avait suscité des discussions animées à l'école Saint-Joseph à cause de ce qu'il appelait *le scandale de la Grande Hermine*. Malgré son handicap et ses problèmes d'apprentissage scolaire, tous ces événements contribuaient au développement et à l'enrichissement de son esprit. Il y trouvait l'enseignement concret, visuel, qui lui convenait.

L'ÉCOLE POLYVALENTE

En septembre 1968 Claude se retrouvait à l'école secondaire Wilbrod-Bhérer, récemment construite. Il a même assisté à l'inauguration. Cet édifice est tellement immense comparé aux écoles qu'il a fréquentées jusqu'alors qu'il se sent perdu dans ses longs corridors et dans ses dédales inextricables, d'autant plus qu'il n'y retrouve pas ses anciens amis. Au début il a l'impression que c'est une institution où toute chaleur humaine est absente. Les professeurs qui enseignent chacun une spécialité passent rapidement, rendant impossibles les rencontres personnelles. Entre chaque cours, les étudiants n'ont guère plus de cinq minutes pour changer de salle de classe.

Dans cette atmosphère, troublante pour lui, il est heureux de rencontrer au moins une personne qu'il connaît et qui s'intéresse à lui et le salue chaque matin. Il s'agit du professeur Lacasse, un ancien militaire revenu à l'enseignement. Claude le décrit comme « un original à la casquette rouge et aux bottes bien cirées ». Il l'avait connu la première année de son arrivée à Québec ; c'était un des voisins de son premier foyer nourricier et il avait joué avec ses enfants. Pour Claude, ce fut comme une bouée à laquelle il s'est agrippé.

L'atmosphère était fort différente de ses écoles précédentes: tout lui paraissait impersonnel, sans âme. Plusieurs professeurs lui semblaient plus ou moins intéressés à leur travail et lui donnaient l'impression d'avoir hâte de terminer leur cours pour s'en aller. La clientèle était hétéroclite, les étudiants venant de différents quartiers de la ville. Parmi eux, certains jouaient aux durs et il y en avait qui ne se gênaient pas pour se moquer de Claude. L'un d'eux lui tombait sur les nerfs; il ne cessait de l'écœurer, comme il dit. Un des professeurs au courant du manège lui avait dit: «Il faut que tu apprennes à te défendre; ici, c'est pas une école pour les enfants et tu ne peux compter sur les autres.» Ses nouveaux amis — car il n'avait pas tardé à en cueillir une bonne brochette — lui avait tenu le même langage.

Un après-midi, à la cafétéria, le mauvais garçon s'était approché de lui pour l'agacer et l'insulter en mimant certaines gaucheries dues à son handicap. La coupe avait débordé. Après s'être assuré qu'il y avait plusieurs témoins — le professeur Lacasse venait justement d'entrer — il décida d'administrer à ce détestable individu une raclée dont il se souviendrait. Le gars était habillé d'une veste de cuir, comme en portaient les motards, avec médailles, chaînes, écussons et tout l'attirail. Après avoir raidi ses muscles à l'extrême, il avait bondi sur l'effronté et avait tout arraché, tout brisé, tout déchiré, et il avait terrassé le polisson. Ce dernier s'était péniblement relevé et, sans ramasser les débris, il avait fui cette furie déchaînée. Les spectateurs estomaqués étaient restés muets et immobiles, étonnés de cette force subite et inexplicable. Pour Claude ce fut la délivrance d'une indignation longtemps retenue. Jamais il n'a revu ce garçon, ni à l'école ni ailleurs. Il croit qu'on l'a renvoyé.

Cet événement lui avait attiré le respect des autres étudiants et dorénavant, plus personne ne le ridiculisera ni ne fera allusion à son infirmité. Après avoir relaté cet incident, il m'a dit: «Je déteste la bagarre; je crois que c'est la seule fois que je me suis vraiment battu.» Il a continué à se faire de nouveaux amis qui l'aidaient au besoin et l'agaçaient amicalement en l'appelant *la Morue*. Pour Claude, l'école Bhérer ne présentait pas que des inconvénients. Il s'était considérablement rapproché de sa maison de pension, ce qui lui laissait plus de temps libre pour s'adonner à ses loisirs préférés.

Classé dans l'option d'initiation aux métiers, Claude a étudié les notions de base de différentes techniques: électricité, peinture en bâtiment, entretien des édifices, photographie et procédés de développement des films, etc. Il s'est surtout attardé à la cordonnerie qui comportait moins de dangers et pouvait convenir à ses capacités physiques. Pas de problème pour coudre à la machine, mais il avait de la difficulté à enfiler une aiguille. Quand le professeur Édouard Proulx le voyait s'impatienter, il lui disait: «Claude, c'est important que tu le fasses toi-même, même s'il faut que tu prennes une heure ou davantage; demain ça te prendra moins de temps.» Et c'est arrivé ainsi. «J'ai fini par prendre le tour, affirme Claude. Après, tout fonctionnait normalement.» Il détestait aller au cours de menuiserie parce qu'il ne pouvait toucher aux machines et qu'on lui demandait de ramasser les copeaux de bois laissés par les autres étudiants. Il avoue avoir détesté le professeur au commencement, mais il a vite compris les motifs de ce dernier et ils sont devenus de bons amis.

Claude s'était inscrit au cours régulier d'arts plastiques pour continuer les leçons de dessin et de peinture commencées à l'école Notre-Dame de Grâce. Il décida de délaisser l'aquarelle utilisée jusqu'alors pour s'initier à la technique de la peinture à l'huile et, à la fin, il opta pour l'acrylique, le matériau qui lui convient le mieux. Pendant plusieurs années, cet art sera l'un de ses principaux passe-temps.

Après les cours, il lui arrivait de rencontrer le directeur de l'école, un ex-Gaspésien. Ce dernier l'invitait parfois chez lui. Claude s'était aperçu que certains de ses amis travaillaient à la buanderie desservant la piscine de l'école. Un jour, il dit à Bertrand Parent: « J'aimerais ça moi aussi me faire quelques cents, même si je ne travaillais qu'une soirée par semaine. » Ce serait pour lui une satisfaction d'avoir à demander moins d'argent à ses parents; il voulait aussi se prouver à lui-même qu'il était capable d'accomplir un travail utile malgré son handicap.

En septembre 1969 Claude avait commencé à travailler à la buanderie. Il continuait ses cours et, après la classe, il lavait les serviettes destinées aux baigneurs. Lorsqu'il avait entrepris cette année scolaire, il savait que ce serait la dernière et il s'inquiétait de son avenir. Il ne pouvait s'imaginer devoir s'installer en Gaspésie pour pratiquer le métier de cordonnier, celui qu'il maîtrisait le mieux, d'autant plus que ce dernier commençait à décliner. Il ne savait toujours pas lire et son handicap physique l'empêchait de pratiquer la plupart des autres métiers. En 1970, il avait passé toute la belle saison à la buanderie. C'était son premier été en ville. Souvent il avait eu la nostalgie de son pays d'eau et de montagnes et il s'était ennuyé des siens. Il aura droit à deux semaines de vacances au début de septembre pendant que l'on effectuera le nettoyage de la piscine. En septembre 1971, il louait son premier appartement, un petit meublé au grenier d'une maison de la rue Saint-Jean.

Malgré les difficultés d'adaptation des premiers mois, Claude a apprécié les trois années passées à l'école Wilbrod-Bhérer. La direction a été compréhensive et, pour une fois, l'école s'est adaptée à l'étudiant. On sait que la promotion au secondaire exige un minimum de succès à l'école élémentaire, entre autres, la maîtrise de la lecture et de l'écriture. C'était précisément en ces deux matières, et aussi en langue seconde pour la même raison, que son handicap lui causait le plus de retard.

Si l'on consulte ses bulletins de notes trimestriels pour ces trois années, on constate qu'il se maintient au-dessus de la moyenne pour le comportement: ponctualité, tenue, sociabilité, courtoisie et sens des responsabilités. Si l'on considère les matières scolaires en exceptant le français et l'anglais, les résultats sont toujours très bons. Claude se sentait heureux parce qu'on le considérait comme un étudiant semblable aux autres et qu'il pouvait se comparer à ses compagnons dans les matières où son handicap ne posait pas de barrière.

C'est avec joie qu'en juin 1971, il recevait son certificat de fin d'études secondaires, option métier. Il a participé au bal des finissants organisé au Centre Durocher de la paroisse Saint-Sauveur. Sa mère était présente et plusieurs membres de sa famille. Il est fier de rappeler qu'il accompagnait Claude Talbot, la fille de l'ancien ministre de la Voirie dans le gouvernement du Québec, étudiante à la même école. Il ne l'a revue qu'une fois, aux funérailles de son père au cours de l'automne 1980.

BILAN DE TREIZE ANNÉES D'ÉCOLE

Claude a quitté l'école en 1971. Pour connaître son degré d'avancement à ce moment précis, on n'a guère d'autres points de repère que ses souvenirs. Avec ces données fragiles, il serait téméraire de prétendre être capable d'évaluer le rendement de ses treize années de scolarité. En apparence certains résultats sont déconcertants mais on ne peut être sûr qu'ils traduisent la vérité profonde: il y a dans un être humain tellement d'impondérables. Sans doute peut-on honnêtement supposer que la partie intacte de son cerveau n'ait pu rester insensible à un si long et si persévérant appel. À défaut d'instruments de mesure objective, les commentaires qui suivent se limitent à des données qui paraissent plausibles à un éducateur de cette époque.

Dans cette analyse, il faut tenir compte de la réalité sociale d'il y a vingt ans. La perception qu'avait des handicapés la population en général ne favorisait guère leur adaptation. Le plus souvent, on les cachait ou on les parquait dans des institutions qui n'avaient pas toujours le personnel compétent pour évaluer et développer le potentiel de chacun. Heureusement, Claude a échappé à ces deux sortes de ghettos.

L'école publique était organisée en fonction de la masse; elle pouvait difficilement s'adapter aux handicapés. Tous les élèves devaient suivre inexorablement le même programme et le seul correctif pour ceux qui ne pouvaient suivre le troupeau, c'était de doubler et même de redoubler un cours. Claude est intelligent, probablement au-dessus de la moyenne. Au moment où il fréquentait l'école élémentaire, un élève normal qui finissait sa troisième année réussissait à lire un livre de contes ou une histoire facile et il pouvait en résumer oralement le contenu. Comment alors expliquer qu'après treize années d'école Claude ne soit pas parvenu à apprendre à lire et à écrire? Il faut dire que même s'il prenait plus de temps que les autres, il s'en tirait bien en calligraphie: ses lettres étaient régulières et bien formées. Toutefois, il était incapable d'écrire un texte sous dictée et encore moins d'exprimer sa propre pensée selon les règles de la grammaire et les exigences de l'orthographe d'usage.

À cette époque, pas tellement lointaine, nos écoles de pédagogie prônaient les vertus de l'enseignement individualisé et des pédagogues américains écrivaient des livres sur la nécessité d'adapter l'école à l'enfant. Il est surprenant de constater qu'au cours des années allant de 1958 à 1971, on ne trouve nulle part des essais de méthodes propres à résoudre les problèmes que Claude rencontrait en lecture et en orthographe. Il en va ainsi du langage où il lui fallait plus que des exercices répétés d'articulation.

Claude avait vingt ans la première fois qu'il a essayé de lire seul une lettre de sa mère. Ce fut un pénible effort de plus d'une heure, et il n'était pas sûr d'avoir tout compris. Pendant huit ans, il a été humilié chaque fois qu'il devait demander à une personne de son foyer nourricier, ou à un ami, de lui lire une lettre reçue de sa mère, d'un frère ou d'une sœur. Ce fut encore plus pénible quand il a voulu écrire sa première lettre. Rédigeant au son, il avait dû se reprendre plusieurs fois: un travail ardu qui a nécessité une demi-journée. Ce premier texte était sans doute difficile à déchiffrer, mais ce fut un événement important pour Lucie Bélanger. On imagine facilement son émotion devant cet incroyable effort de son goéland blessé.

La méthode de lecture phonétique alors en usage dans les écoles était contre-indiquée pour un handicapé de la parole. En effet, tout reposait sur les sons qu'on apprenait à reconnaître et à prononcer correctement par de nombreuses répétitions. Ensuite venaient les mots, parfois vides de sens, mais qui contenaient les sons préalablement appris. Et l'on continuait avec de courtes phrases formées selon la même technique. Quand Claude bloquait sur un son ou sur un mot, on ne pouvait l'attendre indéfiniment; aussi passait-on au suivant. Cette incapacité à prononcer correctement créait un barrage psychologique qui entravait son apprentissage. La même cause peut expliquer son insuccès en orthographe alors que l'école appliquait abondamment l'épellation.

Pourtant, il existe une méthode de lecture convenant aux déficients auditifs et qui aurait pu s'appliquer à Claude. D'ailleurs, il finira par la découvrir lui-même. Il s'agit d'une méthode de lecture globale soutenue par des procédés concrets. On apprend à lire comme le font les mal-entendants avec les yeux. Il aurait pu, par un procédé identique, retenir la graphie correcte des mots usuels. Quant aux accords grammaticaux, le problème est d'un autre ordre et un élève moyen n'a pas trop de tout le cours élémentaire pour apprendre les règles de base et s'entraîner à les appliquer. Et il en reste encore pour le cours secondaire.

Faut-il conclure que dans l'enseignement du français Claude a perdu son temps? Sûrement pas. Sa mémoire a emmagasiné un grand nombre de mots utilisés en classe et ailleurs. Malgré sa difficulté d'élocution, il aimait causer avec ses amis et ses professeurs qui arrivaient à le comprendre ou à deviner ce qu'il voulait exprimer. C'est ainsi qu'il en vint à maîtriser assez bien la structure de la phrase orale. Ceux qui l'entendent aujourd'hui seraient médusés si on leur disait qu'en cette matière Claude n'a pas dépassé la troisième année du cours élémentaire.

Il y a d'autres aspects positifs à ce long et pénible cheminement. Pendant ces années, Claude a acquis des habiletés. Il a tellement marché qu'il a amélioré sa démarche en développant les muscles de ses jambes et en renforcissant ceux qui avaient été affaiblis par la paralysie. Il a lentement développé une plus grande facilité de préhension des objets et des outils dont on lui permettait l'usage. Il a surtout pris confiance en lui-même. Il a aussi appris à vivre dans une société sans entrailles où seuls les forts et les entêtés ont des chances de réussir.

Nul doute que la formation reçue pendant sa petite enfance lui a été fort utile pendant cette période. Il avait acquis les vertus de la discipline, de la politesse et sa mère l'avait formé à l'ordre et à la propreté. Ce fut pour lui un point d'appui fort précieux surtout dans les moments difficiles comme ceux survenus pendant ses deux années dans les classes de transition où il a dû affronter des jeunes terriblement violents, des trouble-fête qui ne cessaient de déranger le travail scolaire des autres. Si son handicap l'a empêché d'apprendre à fond un métier, il a quand même développé des aptitudes et découvert de l'intérêt pour des activités qui sont à sa portée : découpage du bois, dessin, peinture, photographie, etc. Plus tard il s'en fera d'intéressants loisirs. Le plus important résultat, c'est qu'un des métiers dont il a appris les rudiments lui permettra de devenir autonome et de gagner honorablement sa vie.

Quand j'ai demandé à Claude ce qu'il pensait de ses treize années d'école, il a longuement hésité puis il m'a répondu en toute simplicité : « Il fallait que je le fasse, je n'avais pas le choix. » Dans cette lente et dure montée, le temps était pour lui un facteur secondaire. Ce qu'il visait, c'était d'arriver un jour à sa libération, pouvoir oublier son handicap et vivre normalement comme tout autre citoyen. Comme Jonathan Livingston le Goéland, il a maintenu sa détermination d'aller jusqu'au bout de ses limites, malgré les retards et les embûches.

Après avoir passé de longues heures à écouter Claude se raconter, j'ai la conviction que des transformations imperceptibles, dans je ne sais trop quel coin de son cerveau, ont préparé une explosion d'énergie vitale pour le jour où il se sentirait autonome et responsable de son destin. On admet généralement que la plupart des êtres humains n'utilisent qu'une faible partie de leur potentiel mental. Si un individu normal, à force d'efforts et de persévérance, arrive à se dépasser lui-même et à réaliser des projets auxquels il s'était longtemps senti incapable, pourquoi ne pourrait-il pas en être ainsi pour un handicapé qui s'entête à chercher les moyens de s'adapter à la vie en société ?

J'ai demandé à Claude s'il n'avait pas songé à retourner en Gaspésie après ses trois années à l'école Cardinal-Villeneuve. Il m'a répondu : « Pour aller faire quoi ? » Il lui répugnait d'être aux crochets de ses parents ou devenir un client à perpétuité de l'Assistance sociale. Il apprécie que sa famille et ses amis n'aient jamais cessé de l'encourager et de l'aider. Il n'en pense pas moins que le fait d'être éloigné de la maison paternelle et de devoir compter sur lui-même pour se tirer de situations difficiles, a contribué à soutenir son courage et sa détermination. C'est dans cet esprit qu'il affirme : « Ce qui m'a permis de poursuivre mon chemin, c'est peut-être parce que les miens étaient loin et que personne ne se mêlait de mes petites affaires. »

Claude avoue que c'est à l'école Wilbrod-Bhérer, une fois terminée la période d'adaptation, qu'il s'est senti le plus à l'aise, le plus heureux. Il a aussi l'impression d'avoir accompli plus de progrès que pendant les années précédentes. Il y est démeuré trois ans. Il faut ajouter que d'y avoir gagné ses premiers dollars donne une saveur particulière à son appréciation de l'institution. Malgré les séquelles de sa blessure, le goéland ne tardera pas à être prêt pour tenter son premier envol.

ILLUSION DE LIBERTÉ

En septembre 1970, Claude sait qu'il entreprend sa dernière année scolaire et il se demande avec anxiété ce qu'il lui arrivera après. Ce n'est pas avec les quelques dollars qu'il gagne par-ci par-là qu'il pourra louer un appartement et subvenir à ses besoins. Il n'a même pas l'assurance qu'on l'embaucherait quand il ne sera plus étudiant. D'un autre côté, il n'est pas sûr d'être suffisamment aguerri pour s'engager dans un monde où la compréhension et la générosité sont souvent absentes. Il a pu constater que les handicapés ne sont pas acceptés de bonne grâce parmi les travailleurs: cela agace les patrons qui songent avant tout au rendement et c'est un dérangement pour les autres. Si d'aventure on les accepte, c'est souvent pour leur imposer des tâches au-dessus de leurs capacités physiques. Dans un tel climat, le Goéland blessé aura-t-il la force de se défendre contre les rapaces qui voleront au-dessus de sa tête?

Un matin de mai 1971, un contremaître de la Commission des écoles catholiques de Québec propose à Claude de continuer son travail à la buanderie de la piscine de l'école Wilbrod-Bhérer, mais cette fois à plein temps et il sera seul pour y effectuer tout le travail. Le garçon n'a guère d'autre choix que d'accepter : à la cuisine, c'est trop chaud, à la menuiserie, c'est trop dangereux, à la photographie, il lui manque l'expérience indispensable ; il reste la cordonnerie, mais c'est un métier en déclin à Québec et il lui paraît impensable d'aller le pratiquer ailleurs. Il imagine que cette issue qu'on lui offre pourrait le conduire à l'autonomie qu'il recherche.

Il ne tarde pas à se rendre compte que la somme de travail qu'on exige de lui est énorme, au-dessus de sa capacité physique. La piscine est alors ouverte aux étudiants de l'école pendant les cinq jours de la semaine scolaire ; le soir, le samedi et le dimanche, on y accepte les citoyens du quartier. Il doit laver les serviettes utilisées par les baigneurs, les sécher, les plier et les disposer dans les armoires. Il ne peut arriver à tout faire à moins de soixante-dix heures de travail par semaine. La commission scolaire et la ville se partagent son salaire. Pendant cette période, les serviettes qui lui arrivent chaque jour, dépassent parfois le nombre de mille cinq cents. En dépit d'observations répétées, un grand nombre de personnes utilisent plus de serviettes qu'elles n'en ont besoin. Cet abus augmente d'autant son travail. Il y en a qui ont le culot de lui répliquer :

— Tu n'as qu'à travailler davantage, t'es payé pour ça.

Ce qui l'ennuyait plus que son travail, c'est le nombre de patrons qui lui donnaient des ordres parfois contradictoires et souvent pour des tâches étrangères à son travail. On lui demandait d'aller ouvrir les portes, d'aller les fermer, de surveiller le gymnase, de faire des commissions, etc. Il s'y pliait sans maugréer de peur de perdre son emploi. Et tout cela pour un maigre salaire de un dollar et dix cents l'heure. Il avait grand besoin de tout cet argent pour payer un loyer de soixante-quinze dollars par mois et pour subvenir à ses besoins essentiels. Aussi, restait-il au travail même quand il était malade. Adieu les longues vacances en Gaspésie pendant la belle saison ! Réduites à deux semaines, elles avaient été fixées à la fin d'août et au début de septembre, pendant la fermeture temporaire de la piscine pour nettoyage et réparation. Il avait aussi une semaine au temps des fêtes. Ce travail abrutissant a duré trois ans.

La buanderie occupait un réduit de moins de cinq mètres par trois mètres. On y trouvait une machine à laver et deux sécheuses chauffées au gaz propane. De la vapeur se dégageait continuellement des appareils. Dans de telles conditions, il eût été normal d'y travailler tout au plus, trois à quatre heures d'affilée. Comme système de ventilation, une minuscule fenêtre. Or, un jour, pour une raison obscure, quelqu'un décida de condamner ce seul moyen d'aération. Pour avoir un peu d'air respirable il fallait tenir la porte ouverte. En constatant ce geste absurde, Claude n'avait pu s'empêcher de dire à son patron immédiat : « Vous avez décidé de faire mon tombeau ici. » L'été, c'était une véritable étuve : en juillet, le thermomètre atteignait 35 degrés Celsius. Aujourd'hui, le jeune homme se demande comme il n'est pas devenu fou pendant ces semaines horribles et interminables.

Ce surmenage démentiel allait le conduire à une dépression. Il ne cessait de pleurer mais continuait quand même pour ne pas être réduit à mourir de faim. À ce moment, quelqu'un lui a conseillé de demander une aide sociale qui pourrait permettre une diminution de ses heures de travail. Claude s'est insurgé à cette suggestion, répondant avec amertume que c'était le moyen le plus efficace de devenir un incapable et un parasite. Malgré les difficultés, il a décidé de continuer. Il voulait réussir envers et contre tous.

Après trois ans de ce travail exténuant, survint un changement qui rendait sa tâche plus supportable. La ville ayant cessé son entente avec la commission scolaire, il ne restait plus à la piscine que les étudiants et les professeurs. En mai 1974 Claude devenait un employé permanent de la Commission des écoles catholiques de Québec et, immédiatement, il adhérait au syndicat. À partir de cette date, il travaille quarante heures par semaine au taux horaire de deux dollars et dix cents. Il a l'impression d'être enfin entré dans la catégorie des hommes libres. Il quittera définitivement son poste à la buanderie le 21 mai 1980, une date qu'il n'oubliera pas : c'était le lendemain du référendum québécois.

Malgré l'assurance que lui donnait sa permanence et son appartenance à un syndicat, Claude vivait dans une continuelle inquiétude. Par leurs sous-entendus, certaines personnes lui avaient laissé entendre que son poste était convoité et qu'il pourrait le perdre. Il se demandait où on l'enverrait si ces allusions se réalisaient. En parlant de ces gens peu délicats, il affirme en s'assombrissant : « Il y a toujours des individus qui se font un malin plaisir à nuire aux autres » et il ajoute : « Il y en a aussi qui se défilent pour ne pas t'aider, ce qui n'est guère mieux. »

À quinze heures trente, vendredi le 7 décembre, on est venu l'avertir de la décision des autorités — qui ne lui avaient pas demandé son avis — de l'affecter à une nouvelle tâche. Le messager lui avait dit : « Je crois qu'on t'enverra travailler à l'entretien d'une autre école de sept heures à onze heures et que tu continueras ton travail ici de seize heures à vingt heures. » Quand Claude lui demanda d'où venaient ces ordres, l'homme lui répondit qu'il n'avait pas à en discuter : c'était une décision des patrons et ils exigeaient une réponse immédiate.

Claude avoue qu'il s'est mis à pleurer comme un enfant de deux ans. Dans sa tête, il se revoyait le jour où sa mère était venue le conduire à Québec et il se demandait si ses longs et pénibles efforts ne seraient pas à jamais perdus. Il reconnaît que ce fut la plus dure épreuve de toute sa vie. Envahi par la panique, il s'en est fallu de peu qu'il ne perde la tête et décide de régler son problème une fois pour toutes en se suicidant.

L'envoyé du patron lui a répété la question en exigeant une réponse immédiate. En pleurant, Claude a réussi à lui dire : « Si tu étais à ma place, qu'est-ce que tu f'rais ? » Le problème, c'est que cet homme était incapable de le comprendre. Il se contenta de répondre qu'il ne pouvait rien faire. Malgré le choc, Claude avait réussi à retrouver suffisamment de lucidité et de fermeté pour lui dire qu'il n'accepterait aucune offre avant d'en avoir parlé à son syndicat.

De retour à son appartement de la 3e Avenue, il s'était senti complètement déboussolé. En tenant compte de son handicap, il ne voyait pas comment il lui serait possible d'organiser sa vie avec un tel horaire. Il s'imaginait de retour à Nouvelle, végétant aux crochets de l'Assistance sociale. Il a essayé de manger, mais sa gorge s'y est refusé et il a inondé de larmes son assiette.

Après cette averse, il se sentit rasséréné. Il eut alors la bonne idée de téléphoner à l'un de ses plus fidèles amis, le professeur Charles Proulx. « J'ai braillé au téléphone », avoue-t-il candidement. Quand ses spasmes nerveux se furent calmés, il a réussi à expliquer sa désagréable situation. Son ami lui a rappelé qu'on ne pouvait lui faire une telle proposition sans une autorisation préalable du directeur de l'établissement. Il lui conseilla de ne pas rester à son appartement, de sortir pendant la fin de semaine, de visiter ses amis et de prendre congé le lundi. Ces trois jours de répit l'avaient calmé. Après avoir réfléchi et avoir consulté ses plus proches amis, il avait compris que pour devenir libre il devait apprendre à se défendre contre le mépris et l'injustice.

Quand il est rentré au travail le mardi suivant, Claude avait une attitude déterminée et il lui semblait que ses pas retentissaient avec plus de bruit dans les corridors. Il croisa celui qui, le vendredi précédent, lui avait transmis le message du patron. Ce dernier exprima sa surprise qu'il ne fût pas au travail la veille. Claude lui répondit de ne pas s'inquiéter, qu'il avait simplement pris un congé auquel il avait droit. L'homme lui dit alors tout de go : « Le patron veut te voir immédiatement. » Claude, sûr de lui, lui rétorqua de lui dire de venir le rencontrer à l'école et il fixa le rendez-vous à dix heures le lendemain. Il l'avertit qu'il ne le rencontrerait qu'en présence d'un représentant du syndicat.

Le lendemain, ils étaient deux et ils sont arrivés à neuf heures au lieu de dix. Sans doute avaient-ils l'espoir d'exploiter la vulnérabilité du handicapé que de toute évidence ils voulaient mater. Quand ils ont voulu l'interroger, Claude leur a répondu poliment: «Je regrette, j'ai pas le temps, j'ai du travail jusqu'à dix heures». Il ne voulait surtout pas s'exposer à commettre des erreurs irréparables ou à tenir des propos qui pourraient lui être préjudiciables. À dix heures, le représentant syndical était au rendez-vous. Ils s'étaient entendus, Claude et lui, pour refuser l'offre proposée.

Dans la salle où ils s'étaient retirés, un seul des deux hommes discutait avec le représentant du syndicat. On avait invité le jeune homme à prendre une chaise; il avait préféré se hisser sur un tabouret: «Ça me faisait plaisir de pouvoir les voir de haut!», dit-il avec humour. Comme la discussion tournait en rond depuis plusieurs minutes et qu'on ne lui avait pas encore demandé son avis, Claude s'est fâché et il leur a lancé du haut de son perchoir:

— J'ai pas l'intention d'attendre quarante jours, c'est dans quinze minutes que je veux une réponse!

Après leur avoir rappelé comment, au début, on avait abusé de lui en lui imposant un travail inhumain à un salaire ridicule, il avait résolument déclaré qu'à partir de ce jour personne ne l'exploiterait plus à cause de son handicap. Il les engagea, comme il l'avait fait pour le premier messager, à se mettre à sa place pour mieux le comprendre. Mais ces hommes ne se souciaient guère de la vie tranquille qu'il avait pu s'organiser grâce à la proximité de son domicile et de l'école.

Selon les nouvelles conditions qu'on voulait lui imposer, il ne pouvait être de retour à son logement avant neuf heures le soir et, pour être rendu à temps à son travail, il devrait se lever à cinq heures du matin. Il suivait alors des cours d'orthophonie, il faisait partie d'une association vouée au bien-être des handicapés et il essayait d'aider ceux qui étaient plus mal pris que lui. S'il acceptait cette nouvelle affectation, il devrait tout lâcher et se renfermer dans une solitude qui pourrait lui être néfaste.

Avec assurance, il leur dit que s'ils le forçaient à accepter leurs conditions, il les rendait responsables des accidents qui pourraient lui arriver et il exigeait une entente écrite avec la promesse d'un salaire garanti dans le cas de cette dernière éventualité. Fier de lui parce qu'il avait réussi à vaincre sa peur et à s'affirmer en ces conditions difficiles, il leur lança :

— Si vous ne pouvez comprendre la situation où vous me placez, vous êtes plus handicapés que moi !

Ils sont partis silencieux et penauds. Quelques jours plus tard, Claude apprenait que, si les autorités n'avaient pas cédé sur l'essentiel, ils avaient apporté à l'offre initiale des modifications qui rendaient son acceptation moins pénible. En effet, au lieu d'un horaire de sept heures à onze heures et de seize heures à vingt heures, on lui offrait une période de travail de huit heures à midi et une autre de deux heures à six heures. Toutefois chaque jour il devait travailler à deux endroits différents, ce qui le forçait à voyager en autobus.

Il continuait son travail à la piscine de l'école Wilbrod-Bhérer pendant une demi-journée et il devait se rendre ensuite à l'école des Saints-Martyrs-Canadiens sur la rue Marquette.

Là aussi il y eut des problèmes. Le trajet en autobus durait vingt minutes. L'hiver, il arrivait que les rues encombrées de neige causent des retards. On lui en faisait des reproches. Le travail d'entretien qu'il effectuait était dur et il n'y était pas habitué. Ils étaient deux. À cause de son handicap, il était plus lent que son compagnon qui en profitait pour lui laisser les besognes les plus difficiles. Mais il avait appris. Cette fois il a alerté les personnes responsables et sans tarder tout est rentré dans l'ordre. Par la suite, il accomplissait son travail à son rythme personnel et le mieux possible et tout le monde était satisfait.

Quand la Commission des écoles catholiques de Québec a décidé de fermer l'école des Saints-Martyrs-Canadiens, elle a loué ses locaux au gouvernement du Québec qui y a installé le Centre d'orientation des futurs immigrants. Le 21 mai 1980 Claude était prêté à cette institution. Depuis, il ne travaille plus qu'à un seul endroit et il s'y sent à l'aise. Il ne conserve pas moins le désir de pouvoir un jour consacrer tout son temps à aider les handicapés qui n'ont pas eu sa chance.

Claude a toujours conservé la nostalgie du pays natal. Dans les moments difficiles, à sa dernière pension et à son travail, il a souhaité se retrouver dans la sécurité du foyer familial. Au moins par deux fois, il a songé sérieusement à retourner en Gaspésie pour y travailler. Ayant appris que la municipalité de Nouvelle construisait un édifice de logements à prix modique pour les personnes âgées, dans une lettre du 5 octobre 1978, il offrait ses services comme responsable de l'entretien de la bâtisse. Malheureusement, ce n'était qu'un emploi à mi-temps auquel correspondait un salaire insuffisant.

À l'occasion de la fête de Noël 1980, Claude s'est adressé aux membres du Club Optimiste de Nouvelle pour les motiver à l'Année internationale de la personne handicapée qui allait bientôt commencer. Ce jour-là, il avait déclaré qu'il songeait à quitter Québec pour venir travailler à l'hôpital de Maria. Il avouait qu'il ne voulait toutefois pas recommencer à zéro et tenait à conserver des droits péniblement acquis. Il terminait son allocution en affirmant qu'il désire « aller de l'avant comme le goéland qui va toujours plus haut ».

Pendant les vacances de Noël, Claude avait causé avec ses parents de son intention de revenir en Gaspésie s'il y trouvait un emploi sûr. Il en avait aussi parlé à son frère Jules au cours d'une longue promenade à pied. Ce dernier l'avait encouragé à rester à Québec. Il lui fit observer que si l'hôpital de Maria lui accordait le poste demandé, il devrait probablement commencer par un travail à mi-temps. D'autre part, s'il avait l'intention de demeurer chez ses parents à Nouvelle, il lui faudrait une voiture pour voyager matin et soir, et l'hiver ce n'est pas toujours facile.

Il hésitait encore après son retour à Québec. Plus il y pensait, plus tout s'embrouillait dans sa tête. Il songea alors à demander conseil à Fernand Paradis, un cadre supérieur de la commission scolaire en qui il avait confiance. À l'appel de Claude, il s'est rendu au logement de la 3e Avenue et il a été impressionné par l'excellente organisation du logis du jeune homme. Ensemble, ils ont soupesé les avantages et les inconvénients d'un changement de poste. Ce dernier leur a paru lourd de conséquences. Claude devrait déménager son ameublement dont il ne voulait pas se départir, et transporter tous les souvenirs qu'il avait amassés; il quitterait les nombreux amis auxquels il s'était attaché au cours des dix-sept dernières années. D'un autre côté, il n'était pas certain de retrouver en son nouveau lieu de travail tous les avantages durement acquis depuis 1971. Avant de le quitter, son conseiller lui dit: « Si tu le désires vraiment, va essayer et si tu ne t'y plais pas, reviens à Québec et tu pourras reprendre ton emploi. » Il aurait pris une décision le 4 mars, la veille de son anniversaire de naissance. Les dates ont pour Claude une grande importance.

On peut se demander s'il n'était pas encore indécis puisqu'il attend jusqu'au 17 avril pour communiquer la nouvelle à sa mère. Dès le lendemain cette dernière lui écrit pour confirmer ce qu'elle lui a dit au téléphone: elle et son mari sont d'accord avec la décision de leur fils. Ils ne voient aucun avenir pour lui à Nouvelle et ils savent que Claude est maintenant adapté à la vie en ville et qu'il peut y gagner sa vie et y être heureux.

Aujourd'hui, Claude appartient à la ville de Québec et à la Gaspésie. Dans la première, il gagne honorablement sa vie et il continue à s'y faire des amis, dont plusieurs sont d'anciens Gaspésiens et il s'est engagé dans des œuvres qu'il pourrait difficilement quitter. Il reste attaché à sa Gaspésie natale; il y descend aussi souvent qu'il le peut et il y passe ses vacances d'hiver et celles d'été. À Nouvelle — plus précisément à Miguasha — il est propriétaire d'une jolie maison d'été. Il paie ses taxes municipales et scolaires comme tout autre citoyen. À Québec comme à Nouvelle on l'aime, on le respecte et on admire sa détermination. Avec deux petites patries, il est comblé.

LE GÎTE DE MIGUASHA

Le 1er mai 1971, Claude quitte le foyer nourricier de la rue Saint-Alexis. Après huit années à partager la vie des étrangers, il a l'impression de se libérer d'un long internement. Il emménage au 69 de la rue Saint-Jean, dans un minuscule meublé, installé au grenier d'une maison à cinq étages. Quelques années plus tard, en écrivant dans le livre des souvenirs de Claude, Lucie Bélanger le décrira ainsi : « Pas grand, propre, mais tellement haut, beaucoup de marches, une vraie place pour mûrir des idées ». Il faut ajouter que le plafond est bas et qu'en entrant les grands six-pieds doivent se courber pour ne pas se heurter la tête au linteau de la porte.

La recherche d'un appartement dont le prix du loyer conviendrait à ses moyens pécuniaires et qui serait organisé pour qu'il n'ait pas à s'acheter immédiatement des meubles, peut sans doute expliquer les deux semaines écoulées entre le moment de sa décision de rester à Québec et la date de sa communication téléphonique à sa mère. Il a vainement cherché aux alentours de son lieu de travail et c'est grâce à des amis qu'il a pu dénicher ce petit logement de deux pièces et demie dans la haute-ville. Même si ce dernier est juché sous les toits, il réussira à s'y construire un nid confortable. Malgré certains inconvénients, il demeure l'un des plus précieux souvenirs : c'est là qu'il s'est senti libre pour la première fois et responsable de son présent et de son futur.

C'est le 17 avril que Claude apprend à sa mère qu'il a loué cet appartement. Dans sa lettre qui suit immédiatement, elle lui donne une série de conseils dont la plupart se rapportent à la tenue d'une maison : faire attention à son budget, garder son appartement propre, fermer la porte à clef quand il sort, payer régulièrement son loyer, faire attention au feu. Elle en ajoute d'autres, d'ordre plus général comme prendre les intérêts de son patron et éviter l'alcool. Elle termine en promettant de monter à Québec dès qu'il aura fini son installation.

Lucie est inquiète malgré l'enthousiasme que Claude lui a manifesté. Même s'il est débrouillard et s'est beaucoup développé au cours des dernières années, elle se demande s'il pourrait, tout en travaillant à un endroit assez éloigné, tenir une maison et se préparer des repas substantiels. Elle craint qu'il ne manque d'argent pour se procurer la literie et les ustensiles indispensables et, pendant un court instant, elle envie les parents qui ont les moyens d'aider pécuniairement leurs enfants. Il est vrai qu'elle lui a envoyé par-ci parlà un dix dollars, quelquefois un vingt, mais c'est sûrement insuffisant, compte tenu du maigre salaire de son fils. Il lui vient l'idée de faire l'inventaire des choses accumulées au cours des années pour répondre aux besoins de sa nombreuse famille. Maintenant que la plupart des enfants sont partis, elle peut sans inconvénient en faire une part substantielle pour son fils cadet.

Au cours du mois de mai, elle lui fait parvenir une catalogne, une couverture de laine, deux paires de draps, des taies d'oreiller, deux poignées pour qu'il ne se brûle pas avec les poêlons et les chaudrons, des napperons, des linges à vaisselle, des linges à épousseter. Discrètement, ses frères et ses sœurs l'ont aussi aidé et ses amis ne l'ont pas oublié. Bientôt, il ne lui manquait rien du nécessaire et il avait l'impression d'être comblé.

Du haut de son perchoir, certains jours il ressentait le vide de la solitude. Il n'était pas habitué à ce silence déchiré seulement par le sifflement du vent sous les corniches ou brisé par le tapotement de la pluie sur le toit de tôle. Depuis son enfance, dans sa famille, dans son dernier foyer nourricier et à l'école, la vie avait toujours été grouillante autour de lui. Et, comme on s'en est rendu compte au cours de ce récit, il aime être entouré, pouvoir jaser et discuter malgré ses troubles de la parole. Aussi, petit à petit, s'est dessiné dans son esprit le projet de faire de son domicile un lieu de rencontre pour ses amis et un endroit de retrouvailles pour les Gaspésiens exilés à Québec.

Malgré l'exiguïté des lieux, Claude décide d'y reconstituer une ambiance gaspésienne avec des photos et des objets apportés de Nouvelle. Le 4 décembre 1971, il y organise la première soirée qui marquera le début d'une touchante aventure. Il invite ses deux plus grands amis, Jean-Jacques Maguire, le fils du docteur, et Hugues Barriault, le fils du voisin et un compagnon inséparable de sa petite enfance et six autres personnes. Il s'était procuré un cahier et il invite ses amis à y rappeler leurs souvenirs et à y exprimer leurs sentiments. Il est déçu de cette première expérience : la plupart n'ont écrit que leur nom et leur adresse. Il s'attendait à bien davantage tellement il était convaincu que, comme lui, la plupart des personnes ont un besoin naturel d'exprimer leurs pensées.

Claude n'est resté qu'un an dans son grenier. S'il l'a quitté si tôt, c'est peut-être à cause des craintes de sa mère qui n'y voyait aucune issue de secours s'il lui arrivait d'y être traqué par le feu. De son côté, il ne voyait pas comment il pourrait y réaliser complètement son projet. Il en a malgré tout gardé un souvenir nostalgique : c'est le premier endroit où il s'est senti vraiment libre. C'est là que la vraie vie a commencé pour lui avec ses imprévus et ses exigences. Les soirs tranquilles, il rêvait à Miguasha, à la beauté de ses paysages, à la sérénité de ce lieu privilégié où, entre le cri rauque des goélands et le clapotis des vagues sur le sable de la baie, on n'entendait que le silence. Il avait quand même hâte de se retrouver dans ses propres meubles pour recevoir tous ses amis et leur faire partager son amour de la Gaspésie.

Mighasha, c'est un nom qui sonne doux à son oreille, comme les notes d'une symphonie. Il s'y rend régulièrement depuis 1965. Cette année-là, avec l'aide de la famille, son frère Roger s'est construit une maison d'été en face de la grève, tout près de la pointe qui délimite la séparation entre la baie des Chaleurs et l'estuaire de la rivière Restigouche. Miguasha ce n'est pas seulement un lieu marqué par ses brillants couchers de soleil, c'est aussi l'endroit exceptionnel où des chercheurs viennent à la découverte d'un monde perdu depuis des centaines de millions d'année. Il y a une décennie, c'était un lieu privilégié pour la pêche au saumon.

C'est son ami Hugues Barriault qui lui a vraiment fait découvrir les beautés de ce coin pittoresque. Voici comment il rappelle ce souvenir dans un texte qu'il a rédigé à l'intention des parents de cet ami lors de l'anniversaire du terrible accident qui lui a coûté la vie:

> « C'est toi Hugues qui m'as fait découvrir les beautés cachées de la pointe de Miguasha. C'était vers 1959 et tu m'invitais au chalet de tes parents. On se baignait dans la baie et ton père nous promenait en chaloupe à rames. Le temps filait heureux pendant que nous flânions sur la plage à la recherche d'agates ou de pierres d'Alaska. Il y avait toujours comme un fond musical durant ces marches, le chant des oiseaux et le bruit de la mer. »

On peut être surpris par cette facilité d'expression de la part de Claude; tout s'expliquera dans le dernier chapitre.

L'air de la liberté étourdit un peu le Goéland blessé et il manque d'assurance pour réaliser seul son ambitieux projet. Il sait qu'il ne sera pas facile de trouver un nouvel appartement permettant la réalisation de son rêve et convenant à ses moyens financiers. Il se confie alors à André Gaulin, ce voisin sympathique de sa pension de la rue Saint-Alexis qui lui accorda son amitié. Comme il a confiance en Claude et qu'il admire son courage, André lui suggère de s'installer dans une maison de sa mère, sur la rue Saint-Ambroise, dans le quartier Saint-Sauveur. L'appartement est plus grand et il est situé au rez-de-chaussée. Il paiera un loyer mensuel de soixante-cinq dollars mais devra pourvoir au chauffage. Il s'y installe le 1er mai 1972. Au cours de sa première année de travail à temps plein, il a économisé assez d'argent pour acheter un ameublement. Il choisit un modèle rustique en bois de chêne et de bonne qualité qui durera longtemps. Il est resté deux ans à cet endroit. Le 1er mai 1974, il déménageait dans un appartement de la 3e Avenue, dans le quartier de Limoilou; il y est encore aujourd'hui.

Un jour qu'il parlait de son projet à son ami André Gaulin, il dit à ce dernier:

— J'aimerais trouver un nom évocateur pour mon domicile et je voudrais qu'il contienne le mot Miguasha.

— Pourquoi pas le Gîte? répondit le professeur, cela indique un lieu où on se réfugie, où on se rencontre.

Ce fut comme une lueur qui le combla de joie et il ne chercha pas davantage. Désormais, ce serait «Le Gîte de Miguasha». Mais ce n'était pas suffisant, il fallait aussi un emblème et un drapeau. La mer lui suggéra la bouée et son frère Marius se chargea de lui en tailler une dans du bois de pin et d'y inscrire le nom du gîte. Pour Claude, la bouée revêt un sens profond: elle sert à sauver la vie, à venir en aide à des amis. Sa mère lui a confectionné un drapeau à quatre couleurs: bleu pour la mer, jaune pour le soleil et l'amitié, brique pour les falaises de Miguasha, blanc pour le goéland et la liberté.

Le 2 décembre 1972, dans le logement de la rue Saint-Ambroise, avait lieu l'inauguration officielle du Gîte de Miguasha, symbole du coin de la terre natale en attendant l'installation d'un véritable gîte sur les rives gaspésiennes. Ce jour-là, une violente tempête de neige rendait les sorties difficiles. Aussi, sur cinquante invités, vingt-deux seulement étaient au rendez-vous. Claude avait invité André Gaulin à écrire dans un livre d'or tout neuf le premier texte d'une série qui se continuera sans interruption jusqu'à ce jour. Il lui décerna le titre d'écrivain. Après avoir indiqué que le nom de Miguasha est issu du micmac et signifie murailles rouges, il rendit hommage à la Gaspésie et aux Gaspésiens dans les termes suivants :

> « À vous de la Gaspésie, à vous amis des Gaspésiens, au Gîte de Miguasha ce soir, chez le camarade Claude Bélanger, salutations marines ! La Gaspésie est l'image de notre libération. Chez elle, le fleuve ne se rend pas ; chez elle, les paysans têtus ont gardé leurs mots suaves et leur invincible allégresse. Je revois ici, le capitaine Ti-Loup les larmes aux yeux, chantant les vieilles chansons de France, données de bouche à oreille : *Belles, embarquez dans mon joli bateau.* »

À partir de ce jour-là, de nombreux amis ont écrit dans ce cahier leurs pensées, leurs souvenirs et leurs sentiments envers Claude. Ce dernier y relate les principaux événements de sa vie. Comme la porte du gîte est toujours ouverte, les amis et les Gaspésiens de passage à Québec s'y arrêtent nombreux. Au carnaval d'hiver de 1973, quarante-cinq personnes sont venues s'y réchauffer en attendant le défilé. Entre 1971 et 1976, huit cent trente-huit visiteurs y ont laissé leur signature. Cela continue au même rythme et il faut un cahier nouveau presque chaque année. Voici quelques extraits pris au hasard dans le premier cahier:

Je me souviendrai longtemps de ces quelques moments de joie intense vécus dans ton oasis de paix. S.G. *C'est un plaisir d'écrire de nouveau un mot d'amitié. On peut dire qu'ici la vie est aussi bonne que la cuisine!* C.A. *À Claude, grand chef cuisinier, poète et peintre de Miguasha, philosophe gaspésien, mes hommages. Chez toi comme à Miguasha, on est bien.* R.A.

Il y a des noms que l'on retrouve depuis le commencement entre autres celui de son grand ami et fidèle conseiller, Ronald Arsenault. Le 10 janvier 1973, son frère Gilles, poète et chanteur, y a écrit le poème suivant qui deviendra une chanson:

Miguasha! Miguasha!
Les dieux t'ont donné
Toutes les beautés
Miguasha!

Un matin, une journée
Un soleil pour aimer
Une plage dorée
Pour t'écouter
Miguasha!

Miguasha! Miguasha!
Si loin des fumées
Et des villes empoisonnées
Il ne faut pas changer

Tu t'es marié avec la mer
Sans te soucier de l'hiver
Tous les automnes tu t'endors
Pour refaire ton décor
Miguasha !

Un goéland au soleil couchant
En s'envolant redit ton nom
Miguasha !

Claude est prodigue de titres et de trophées. En plus du titre d'écrivain de l'année donné à la personne choisie pour rédiger le texte du livre d'or, il a créé un trophée à la mémoire de son ami Hugues Barriault, si tragiquement disparu. C'est la réplique d'un voilier auquel il a donné le nom de *La Hubar*. Au commencement, il l'attribuait à l'un des amis de Hugues ; maintenant il le donne à celui de ses amis personnels qu'il considère le plus méritant. Il en a institué un autre en l'honneur du pêcheur Adélard Roy de Miguasha, né en 1883 et décédé en 1979. Il le remet chaque année à une personnalité de Nouvelle. Le premier récipiendaire a été le docteur Jean-Eudes Maguire, décédé peu de temps après. En 1981, il en a créé un nouveau à la mémoire de ce dernier. C'est l'auteur de ce récit qui a eu l'honneur d'être désigné et de recevoir un tableau de Claude : sa première scène d'hiver.

Le Gîte de Miguasha est devenu une véritable institution. Le 8 octobre 1977, on en célébrait le cinquième anniversaire. Il a fallu louer une salle pour recevoir les trois cents invités parmi lesquels on comptait douze membres de la famille Bélanger, y compris le père et la mère. Il avait choisi son frère Jules comme écrivain de l'année. Le texte exprime l'âme gaspésienne et signale les bienfaits du Gîte de Miguasha. En voici un extrait :

« Les Gaspésiens ont quelque chose de différent à quoi ils tiennent et cela explique le plaisir qu'ils ont à se retrouver, à se regrouper quand ils vivent en ville, loin de la Gaspésie. Dans ce bain périodique des soirées gaspésiennes, ils se retrempent à la source dont chacun porte en lui-même des veines intarissables et vivifiantes.

Le Gîte de Claude illustre bien ce phénomène à Québec. Il réunit souvent des Gaspésiens dans cet esprit constructeur mais, spécialement une fois l'an depuis cinq ans, le Gîte rassemble une remarquable, joyeuse assemblée de plusieurs centaines de Gaspésiens qui fêtent dans la fraternité leur commune appartenance à une région bien-aimée. »

Cette réunion annuelle au Gîte de Miguasha est toujours accompagnée d'un même rituel. Claude fait d'abord un compte rendu de l'année écoulée. Il avoue que c'est pour lui une occasion de s'entraîner à parler en public. Vient ensuite la lecture du texte par l'écrivain de l'année. Au début Claude désignait lui-même la reine et le roi de la fête, titre que les personnes choisies porteront jusqu'à la prochaine rencontre annuelle. Depuis quelques années, il a remplacé ces titres quelque peu prétentieux par ceux de gitan et de gitane. C'est aussi le moment pour décerner ses différents trophées. Comme la fête a généralement lieu à son domicile, il n'y a pas de sauterie, faute d'espace, mais la soirée se termine par une collation à laquelle les invités participent en apportant vin, fromage, pain et friandises.

C'est en 1977 que Claude a commencé à réaliser son rêve d'un véritable gîte en terre gaspésienne. En

1965, on avait construit à Saint-Jean-de-Brébeuf, en arrière de Nouvelle, une maison pour les gardes-chasse. Peu après était survenue la fermeture de cette paroisse délaissée par ses habitants. Un nommé Léo Bois avait acquis la bâtisse désaffectée avec l'intention de la transporter jusqu'à la grève de Miguasha pour en faire une maison d'été. Claude s'était intéressé à cette maison minuscule; il l'avait même photographiée quand le fardier qui la transportait était passé devant l'église de Nouvelle. L'année suivante, en se promenant sur la grève, il avait dit à sa mère: « Un jour j'aurai un chalet comme celui-là. » En racontant ce fait, Claude croit devoir ajouter: « C'est pas parce que je n'étais pas bien chez mes parents, mais je voulais un endroit à moi tout seul pour y recevoir mes amis. »

Claude n'aurait jamais cru que son rêve se réaliserait si rapidement et qu'un jour il deviendrait propriétaire de cette minuscule maison venue de si loin. Il l'a achetée au cours de l'été 1977. Il en a fait son refuge pendant ses vacances d'été et il a dressé des plans pour la rendre plus confortable et digne des amis qu'il y reçoit. Elle offrait peu de commodités. On y avait installé l'électricité et l'eau courante. Pour les besoins pressants, il fallait se rendre aux bécosses placées en arrière, à une certaine distance du chalet.

Il a décidé de donner le grand coup en 1981, après avoir lui-même dressé les plans — il en avait appris les rudiments à l'école secondaire. Il a dirigé lui-même les ouvriers, acheté les matériaux où il pouvait avoir le meilleur prix. Il a reçu de nombreux cadeaux et aussi l'aide de ses voisins. Une fois les travaux terminés, c'est une toute nouvelle maison agrandie d'une lucarne pour éclairer la chambre à coucher sous le toit. On n'a conservé que le plancher et les murs ; ces derniers ont été modifiés puisque deux fenêtres ont dû être déplacées. Le nouveau Gîte de Miguasha a été inauguré le 20 juillet 1981 en présence de cent cinquante personnes. L'abbé Sylvain Richard, un ami de Claude, a célébré la messe sur la véranda, face à la mer. Quelques jours plus tard, Claude a organisé une autre fête à laquelle il a invité ses voisins de Miguasha avec leurs enfants.

Le drapeau fleurdelisé bat au vent du large, et la maison ressemble à un bateau prêt à être largué pour un long voyage. Le Gîte de Miguasha Inc. a reçu sa reconnaissance légale, ses lettres patentes, le 22 juin 1981. Claude souhaite que le dixième anniversaire du Gîte puisse être célébré à Nouvelle en 1982, sans doute à Miguasha.

SPORTS, PASSE-TEMPS ET ACTIVITÉS DIVERSES

On sait que dans son enfance Claude voulait participer aux jeux des jeunes de son âge, même les plus dangereux. Il a aussi beaucoup marché pour aller chez sa grand-mère, pour se rendre à l'école, pour visiter les coins les plus reculés de la ville de Québec et quand il descendait à Nouvelle pour revoir ses vieilles connaissances. Il en est arrivé imperceptiblement à améliorer sa démarche. Il a aussi saisi toutes les occasions de développer sa dextérité manuelle. Finalement il a acquis assez d'habileté pour pratiquer presque toutes les activités à la portée des gens ordinaires.

Quand on connaît le degré de son handicap, on est surpris des capacités physiques qu'il a réussi à développer. On compte le découpage du bois, le dessin, la peinture, la photographie, la collection des timbres, le ski, la raquette, les quilles, la danse et bien sûr la bicyclette. Il évite la natation: il a peur de l'eau. Curieux pour un Gaspésien! Ses amis qui connaissent cette phobie en abusent parfois. C'est ainsi qu'un jour prétextant qu'il s'était endormi dans le chariot servant à transporter les serviettes à la buanderie, ils l'ont poussé dans la piscine.

Claude s'était entraîné au découpage du bois dans les classes spéciales des écoles Saint-Joseph et Notre-Dame de Grâce. Connaissant l'intérêt de son fils pour ce travail, Arthur Bélanger lui a confectionné, pour les vacances d'été 1968, une scie sauteuse mue par un moteur électrique. En recevant ce cadeau, Claude jubilait, mais sa mère était inquiète : elle craignait que le garçon ne se blesse gravement et elle le trouvait déjà assez infirme. Comme Claude s'était installé au sous-sol pour y effectuer ses travaux, Lucie y descendait souvent le plus discrètement possible. Elle n'a pas tardé à se rendre compte qu'il s'en tirait prudemment et que sa présence, et surtout sa nervosité évidente, pouvait le distraire et causer l'accident redouté.

Claude avait imaginé des modèles de pendentifs qu'il avait l'intention de vendre à Nouvelle et dans les paroisses voisines. Avant de quitter Québec pour les vacances, il avait acheté une planche de noyer qu'on lui avait taillée en pièces aisément transportables. Son père avait apprêté le bois à l'épaisseur voulue. Le jeune homme taillait différents modèles : des croix, des cœurs, des feuilles ; il utilisait même les retailles qui souvent causaient des surprises par l'originalité du motif. Il polissait chaque pièce au papier de verre et la vernissait. Quand son père s'était offert pour percer les trous où passer la corde, il avait répondu qu'il était capable de le faire et il s'en était bien tiré. Il avait quand même accepté que sa mère enfile les cordelettes et procède à l'emballage.

Quand il jugeait en avoir un nombre suffisant ou qu'il était fatigué par une attention trop longtemps soutenue, il partait à bicyclette et s'arrêtait à toutes les maisons ou presque. Il a d'abord parcouru la localité de Nouvelle jusqu'au fond du Grand-Platan, à au moins dix kilomètres de la maison, il a fait le tour de Miguasha, malgré ses côtes abruptes et dangereuses par endroits, il a visité Saint-Omer, la paroisse voisine du côté de l'est, et il s'est rendu jusqu'à l'église de Carleton, à une quinzaine de kilomètres du village de Nouvelle. Il demandait soixante-quinze cents pour les plus belles et cinquante cents pour les autres. À ce prix, parfois il en vendait plusieurs au même endroit, rarement on lui refusait. Il ne les a pas comptés, mais il croit en avoir fabriqué plus de cinq cents.

Dans ses randonnées, deux choses l'agaçaient: les voitures qui frôlaient de trop près sa bicyclette et les chiens qui aboyaient à son approche. Il évitait les maisons trop bien gardées et aussi celles des gens qu'il croyait trop pauvres pour acheter ses pendentifs. Il avoue que cela l'ennuyait de poser un tel geste: il craignait que les habitants de ces demeures ne soient mortifiés s'ils venaient à connaître ses sentiments.

Son père, grand chasseur d'orignaux, conservait le panache des bêtes abattues et il en confectionnait d'élégants manches de couteaux. Un jour il s'avisa, à l'aide d'une scie à ruban qu'il avait lui-même fabriquée, de tailler dans la corne des tranches qui présentaient des formes diverses et agréables à l'œil. Claude n'avait rien à découper, il lui suffisait de polir, de vernir et de percer le trou. À son avis, ce furent ses plus beaux pendentifs et on se les arrachait. Il ne les vendait que soixante-quinze cents quand même.

Claude a retiré de cette mini-industrie quelques centaines de dollars qui soulageaient d'autant le budget familial. Il était à bonne école pour apprendre à utiliser pertinemment son argent, celle de sa mère qui devait faire preuve d'ingéniosité pour entretenir sa nombreuse famille longtemps avec le seul salaire du mari. L'expérience a duré deux ou trois ans et Claude l'a délaissée complètement. Il ne lui reste même plus un seul exemplaire de ces bijoux, ce qui est surprenant pour un ramasseux de vieilles choses.

Claude voue un attachement aux souvenirs de famille, aux vieilles photos, aux portraits anciens. Peut-être est-ce pour cette raison qu'il s'est intéressé à la photographie, un moyen efficace de fixer dans le temps les moments heureux et l'image des personnes aimées. En 1966, il se procure une petite caméra bon marché qui ne produit que des photos en noir et blanc. Comme il suit des cours de photographie à l'école Wilbrod-Bhérer, il rêve d'un appareil plus perfectionné qui lui permettrait de réaliser des diapositives. En 1968, son frère Yvon lui en fait cadeau. L'année suivante, c'est le centième anniversaire de la fondation de Nouvelle. Il court toutes les démonstrations et toutes les fêtes et il accumule de nombreuses photographies qui deviendront des documents historiques. Cette même année, il visite plusieurs maisons de la paroisse, à la recherche d'anciennes photographies. Il en a récolté un certain nombre représentant les vieux habitants, la première église, les ponts couverts, des scènes de l'incendie du village, etc. Comme il avait l'autorisation de reproduire ces photos en diapositives dans le laboratoire de l'école, il est arrivé à constituer un intéressant diaporama sur sa paroisse natale.

Depuis 1971, il a considérablement augmenté le nombre de ses photos, utilisant pendant ses seules vacances d'été jusqu'à douze films de trente-six poses. Beaucoup de scènes maritimes, des couchers de soleil à Miguasha, des goélands évidemment, des vues du parc Forillon, des scènes du festival de Gaspé. Il possède plus de trois mille cinq cents diapositives. À Nouvelle, on lui a souvent demandé d'être photographe à des mariages.

Il lui est arrivé une aventure désagréable avec sa troisième caméra, un appareil de qualité utilisant les films de 35 millimètres. C'était une belle journée d'été et l'appareil en bandoulière, il se prélassait sur la grève de Miguasha tandis qu'une de ses petites nièces s'amusait dans l'eau peu profonde. En passant en face d'eux, un gros bateau avait soulevé de hautes vagues qui roulaient rapidement vers le rivage et risquaient d'engloutir la fillette. Instinctivement, Claude était entré dans l'eau pour tirer cette dernière de sa fâcheuse position. Pendant cette opération de sauvetage, son appareil photographique avait été trempé d'eau de mer. En ce moment plutôt désagréable, Claude a eu une réaction qui lui est particulière : il s'est mis à rire et la petite de l'imiter. La mère de l'enfant, un peu énervée, a grondé son frère de son attitude à un moment qui aurait pu être tragique. Elle n'allait pas tarder à se rendre compte que la réaction de Claude avait été bénéfique pour l'enfant qui n'avait pas eu peur et était retournée à l'eau aussitôt le danger passé. Claude en a été quitte pour s'acheter une nouvelle caméra. Elle lui a coûté quelques centaines de dollars, mais « ce n'est rien contre la vie d'un enfant », philosophe-t-il.

En 1969, Claude a commencé une collection de timbres-poste. À son anniversaire de naissance, ses sœurs lui avaient donné en cadeau un album et un assortiment de timbres de différents pays. Son intérêt pour la philatélie date du jour où sa mère a commencé à travailler au bureau de poste de Nouvelle. À chaque nouvelle émission de timbres pour l'affranchissement des lettres ordinaires, elle lui en envoyait quelques-uns. Plusieurs de ses amis lui ramassaient des timbres-poste oblitérés. Dans sa chambre du foyer nourricier, où ce n'était pas toujours gai, il chassait l'ennui en s'appliquant à les décoller et à les classer par pays. Quand on connaît sa difficulté à saisir les objets, surtout ceux de petites dimensions, on imagine la patience qu'il a fallu pour manipuler ces légères et minuscules vignettes. Selon l'habitude acquise pendant sa petite enfance, en jouant avec ses blocs et ses casse-tête, il recommençait inlassablement jusqu'à ce que chaque timbre soit à sa place.

Un jour, il en avait un si grand nombre qu'il s'est senti débordé, ne pouvant procéder avec la célérité nécessaire à leur mise en ordre, et il voulait se garder un peu de temps pour d'autres activités qui l'intéressaient. Il décida alors de se restreindre aux timbres-poste de trois pays : le Canada, la France et les États-Unis. Il continua à en acheter de temps en temps, mais il finit par se limiter aux seuls timbres du Canada. Il ne connaît pas le nombre exact des pièces de sa collection, mais il l'évalue à plus de quinze mille. Il ne semble pas se préoccuper de l'argent qu'il pourrait en retirer si un jour il décidait de la vendre.

Il explique que cette activité lui a beaucoup appris. Grâce aux timbres, il a acquis des notions intéressantes que l'école ne lui avait pas données concernant les grands personnages de l'histoire, les événements importants, la géographie et diverses richesses de l'univers. C'était aussi un excellent entraînement à la lecture. À propos de timbres, Claude raconte un incident survenu dans son foyer nourricier de la rue Saint-Alexis. Un jour qu'il avait disposé sur une table plusieurs dizaines de timbres qu'il voulait classer, l'un des pensionnaires s'est penché en passant près de lui et a soufflé de toutes ses forces. On imagine facilement le drame causé par ce geste de malice ou d'étourderie. De nombreuses vignettes légères et minuscules éparpillées sur le parquet et sous les meubles. Il a fallu des heures pour les retrouver toutes et pour les remettre en ordre.

La peinture est le passe-temps préféré de Claude. Très tôt, il a manifesté une certaine habileté pour le dessin. Sa première institutrice de Nouvelle avait remarqué qu'il y réussissait mieux que pour l'écriture. En effet sa main droite qui n'arrivait pas à tracer correctement ces chinoiseries de lettres et de chiffres, pouvait exécuter des gestes amples. Il a vraiment pris goût à cet art à l'école Notre-Dame de Grâce où il a surtout utilisé le crayon, la gouache et l'aquarelle. Quand il a décidé de s'y adonner comme principal passe-temps, il a choisi l'acrylique. Dans son environnement de béton, de briques et d'asphalte, il peignait de mémoire des scènes gaspésiennes; en 1981 il a commencé à s'intéresser aux paysages d'hiver. Il aimait peindre de grands tableaux; l'un d'eux mesure deux mètres quarante par un mètre vingt. Cette peinture sur contre-plaqué qui représente l'Anse-aux-Corbeaux de Miguasha a servi à masquer une porte inutile de son appartement. Il a réduit le format de ses tableaux à cause du prix croissant du matériel, peut-être aussi parce qu'il était devenu plus habile.

Il donnait un tableau comme cadeau à l'occasion d'un mariage, d'un anniversaire ou d'un événement important. Il a offert l'un de ses premiers à Adélard Roy, le pêcheur de Miguasha auquel il vouait une grande admiration. Lors du téléthon de 1979 en faveur des handicapés de la paralysie cérébrale, il a présenté un coucher de soleil à Ginette Reno, sa chanteuse préférée. Le 21 février 1981, il offrait une marine à René Lévesque qu'il considère comme le plus célèbre des Gaspésiens. Des cent cinquante tableaux qu'il a terminés, il en a vendu quelques-uns, il en a donné davantage. Il s'est aperçu, malheureusement trop tard, qu'il n'avait pas dressé la liste des destinataires. En 1973, à l'occasion d'une fête organisée pour marquer le dixième anniversaire de son arrivée à Québec, Claude y a exposé une soixantaine de ses œuvres. Il a ralenti cette activité pour l'Année internationale de la personne handicapée à laquelle il a consacré presque tous ses temps libres.

Claude aime aussi la musique. N'eût été son handicap, il aurait voulu étudier l'orgue. Un jour, il a demandé à Zita Maguire l'organiste de l'église de Nouvelle de lui jouer un morceau afin qu'il l'enregistre sur son magnétophone. Comme il ne se déroulait aucun office et que la titulaire de l'orgue n'avait pas l'habitude de répéter à cette heure-là, le bedeau s'était demandé ce qui se passait. Il a tout compris quand il a aperçu Ti-Claude ; il savait que personne ne pouvait résister à ses demandes, pas même l'organiste !

Il goûte particulièrement les œuvres de Bach. Curieuse coïncidence : l'auteur de Jonathan Livingston le Goéland est un descendant du grand compositeur. En 1972, il s'est procuré un appareil d'une grande précision qui lui a coûté plus de mille dollars, une somme importante pour l'époque. « Tant qu'à écouter la musique, affirme-t-il, vaut mieux écouter la meilleure possible. » Comme les disques deviennent de plus en plus cher, il compense en écoutant la radio sur modulation de fréquence. Quand on rentre chez lui, on entend toujours une musique d'ambiance. Il ne peut s'en passer quand il lit, quand il écrit ou simplement se détend.

Il s'est procuré le disque de la musique du film Jonathan le Goéland. Au commencement il l'écoutait tous les jours ; maintenant il le fait jouer une fois par semaine. Il aime entendre les chanteurs québécois tels que Reno, Vigneault, Ferland. Il faut dire que tous les membres de la famille Bélanger s'intéressent à la musique. La mère joue du piano et le père y touchait aussi avant qu'il ne perde un pouce dans un accident. On y joue aussi l'accordéon, la guitare, le banjo, le violon, la flûte, la contrebasse et l'harmonica, et tous les enfants chantent. Gilles, qui chante professionnellement, a enregistré un microsillon intitulé *La traversée* qui a été lancé à Carleton le 19 juillet 1980.

Claude va parfois au théâtre et au cinéma. Comme il le dit lui-même : « Ça m'arrive de temps en temps de me payer ce luxe. » Au Grand Théâtre de Québec, il a surtout assisté aux spectacles de Ginette Reno, de Gilles Vigneault, de Nana Mouskouri, de Moustaki, de Jean-Pierre Ferland, de Clémence Desrochers. Cette dernière l'amuse beaucoup. Il a suivi le plus assidûment possible les événements de la Super Franco-Fête de 1974, y consacrant tous ses temps libres. Arrivé à son domicile vers cinq heures et quart, il se préparait rapidement et montait sur les Plaines d'Abraham où il restait jusqu'à deux heures du matin. Il a assisté à l'ouverture et à la clôture et y passait les journées du dimanche et du samedi tout entières. Les spectacles étaient tellement variés qu'il ne se lassait pas. Il a particulièrement admiré les Africains.

S'il fréquente peu le cinéma, il essaie de compenser par la télévision. Mais chaque fois qu'on annonce le film *Jonathan Livingston le Goéland*, il est heureux de le revoir et chaque fois il y découvre des aspects nouveaux. Pour le reste, il préfère les films comiques et il s'est quelquefois permis des films érotiques. Il avoue avec un regard coquin: « C'est pas parce que je suis handicapé que la question ne m'intéresse pas! » À la télévision, il suit surtout les programmes traitant de sujets à portée sociale ou politique ou de l'histoire du Québec. Il dit ne jamais manquer le bulletin de nouvelles de fin de soirée. À ce sujet il déclare: « I' faut te tenir au courant si tu veux être capable de discuter avec les autres. »

On sait que dans son enfance Claude ne craignait pas les risques de la bicyclette et du traîneau. Dans un pays vallonné comme Nouvelle, on ne peut résister longtemps à l'envie de pratiquer le ski. Au début, il a expérimenté ce qu'on appelait un tape-cul, un appareil rudimentaire fait d'un ski court, ou simplement d'une douve de tonneau fixée à une bûche, d'une planche d'environ quarante-cinq centimètres de longueur qui sert de siège et de gouvernail. Avec ses amis il dévalait les pentes à des vitesses folles et la souplesse de l'engin permettait de se faufiler entre les arbres sans trop de risques. S'il arrivait que l'on frappe un obstacle dissimulé par la neige, la culbute était toujours spectaculaire.

Pour lui permettre de suivre ses amis, son père lui avait fabriqué une paire de skis de randonnée. Au début de son apprentissage, les chutes étaient nombreuses et on le taquinait en lui disant qu'il faisait surtout du « ski de fond de culotte ». Comme pour les autres activités physiques, il est arrivé à maîtriser assez bien ces deux planches encombrantes. En Gaspésie il a parcouru des distances de plusieurs kilomètres ; à Québec, il est allé quelquefois au lac Beauport et au mont Sainte-Anne. Ce qu'il trouve le plus difficile, c'est de monter en autobus pour se rendre aux différents centres. Il a aussi pratiqué la randonnée en raquettes.

Au ski, il préfère le jeu de quilles moins dangereux et qu'il peut pratiquer été comme hiver. Au cours des années où ce sport était populaire, il s'y adonnait souvent, même à Nouvelle. Malgré son application il n'a jamais pu s'habituer au jeu des petites quilles. Quand il tenait la boule dans sa main, il avait l'impression de « presser de la guimauve ». Aussi ses points étaient plutôt bas, la boule ayant tendance à prendre le chemin du dalot. Quand est arrivée la mode des grosses quilles, il a voulu en faire l'essai. Ses amis lui ont dit : « Claude, fais attention de ne pas partir avec la boule ! » Dès le premier tir, il a abattu deux quilles et, peu après à la surprise générale, il a réussi deux abats. Il a continué et son pointage s'est maintenu entre 85 et 100. Il joue aussi aux cartes et il aime danser. Dans les veillées, il ne manque jamais de partenaires.

Il a voyagé seul dans d'autres directions que celle qui conduit à la Gaspésie : en avion au moins deux fois à Sept-Îles et une fois à Toronto et plusieurs fois à Montréal en autobus. Il est arrivé que sa difficulté d'élocution cause des quiproquos ou qu'on tente d'abuser de son état de handicapé. Un jour, il a décidé d'aller passer la fin de semaine chez Raymonde qui demeure à Ville Saint-Michel. Quand il lui téléphona pour lui exprimer son intention, sa sœur lui dit son regret de ne pouvoir être à sa rencontre et elle lui conseilla de se rendre chez elle en taxi. « Ça ne te coûtera pas beaucoup plus que deux dollars » lui assure-t-elle. Malheureusement, au terminus il était tombé sur un chauffeur qui ne comprenait rien au français. Il lui montra l'adresse qu'il avait pris la précaution d'écrire sur un bout de papier, et il lui avait paru que la voiture s'était engagée dans la bonne direction. Il ne tarda pas à se rendre compte que le trajet durait plus longtemps que d'habitude et il commença à s'inquiéter quand il s'est aperçu que le taxi passait au même endroit pour la deuxième fois. Il jeta alors un œil au compteur qui marquait plus de douze dollars. Il était bien décidé à ne pas payer ce montant et il cherchait comment s'en tirer quand la voiture s'était arrêtée dans un embouteillage. Il a réalisé qu'il n'était pas loin de sa destination. Alors il a jeté un deux dollars au chauffeur, il a saisi sa valise que ce dernier voulait retenir et il s'est sauvé en courant vers le domicile de sa sœur. En rentrant, il était fort excité au point de ne pouvoir articuler un mot. Pour le calmer, Raymonde lui a servi une bière froide. Quelques minutes plus tard, il pouvait malgré ses spasmes nerveux lui raconter son aventure. Il craignait que le chauffeur de taxi, qui connaissait l'adresse de sa sœur, ne lance les policiers à ses trousses. Il s'en est bien gardé.

Pour les vacances de Pâques 1975, il avait décidé de se rendre à Toronto en avion. Sa sœur Nicole lui avait donné rendez-vous à l'aéroport; ils devaient se rencontrer à la salle des bagages. Après être descendu, il l'a cherchée en vain dans cette immense aérogare. Il s'est arrêté aux nombreux comptoirs des différentes compagnies d'aviation, il s'est adressé à des préposés à différentes fonctions. Plus le temps passait, plus il s'énervait et son langage devenait de plus en plus difficile à comprendre. Il aurait voulu donner l'adresse de sa sœur pour qu'on communique avec elle, au cas où elle l'aurait oublié, mais il ne pouvait pas prononcer correctement le nom de la rue et disait: *Titéton*... Sa sœur qui s'était trompée de hall d'accueil, le cherchait de son côté. Nicole eut la bonne idée de faire annoncer le nom de son frère par haut-parleur. Quand Claude l'entendit, il fit signe à une préposée au téléphone qu'il s'agissait de lui et cette dernière l'a aidé à se tirer de ce cauchemar qui lui avait paru durer des heures. Il avoue avoir songé à se faire arrêter par la police. Il n'a pu s'empêcher de raconter son aventure. Aussi, dans les veillées ses amis lui demandent-ils de répéter son histoire de *Titéton*. Il dit qu'il en rajoute toujours un peu à chaque fois.

Claude est particulièrement intéressé au sort des personnes défavorisées et il s'est impliqué dans plusieurs organisations. En 1970, il prend part au rallye en faveur du Tiers-Monde et il a marché jusqu'à la fin. Si l'on tient compte du fait qu'il soit parti de la rue Saint-Alexis pour se rendre jusqu'aux Plaines d'Abraham où avait lieu le départ de la longue marche, c'est au moins quarante-deux kilomètres qu'il a parcourus! En 1976, il a participé à la fondation de l'Association des Loisirs pour les handicapés de la zone d'Orléans et il en a été l'un des directeurs jusqu'en 1978. Pendant ce temps, il a organisé plusieurs soirées dont les profits ont été versés à l'association. 1976 marque l'une de ses grandes déceptions: un voyage en Afrique manqué. Un comité désigné sous le vocable de *Comité voyage pour handicapés* avait mis en marche l'organisation d'un voyage en Afrique pour un certain nombre de handicapés désignés par une association régionale. Claude avait été choisi à la suite d'un concours, et il en était fier. Malheureusement, le projet avait été lancé avant que les promoteurs ne disposent des fonds nécessaires et les contributions qu'on attendait ne sont pas venues. Le projet ne s'est jamais réalisé.

Claude a participé au téléthon de 1980 en faveur de l'Association de la paralysie cérébrale. Il y a passé la nuit du 2 au 3 février et a distribué à lui seul au-delà de deux mille cinq cents macarons portant le slogan: *Je m'implique*. Il a plusieurs fois parlé sur les ondes du poste de radio CHRC qui collaborait à cette grande collecte. Il faut ajouter qu'il est membre de l'Association de la paralysie cérébrale, de l'Association des anciens Gaspésiens de la ville de Québec, de l'Amicale des anciens de l'école Cardinal-Villeneuve. Il s'est intensément impliqué dans l'Année internationale de la personne handicapée de 1981, comme on le verra plus tard.

LA CLÉ DE L'ÉNIGME

Après le retour de Claude de ses vacances d'été en Gaspésie, je l'ai rencontré régulièrement pour recueillir ses souvenirs. Chaque fois il me parlait avec insistance d'un professeur qui l'avait beaucoup aidé au cours des dernières années. Pendant un certain temps, j'étais resté indifférent. Je me disais: « S'il faut que je rencontre tous ses professeurs, je n'en finirais jamais. » Après m'être entretenu avec ses premières institutrices de Nouvelle, j'avais constaté que leur témoignage ajoutait fort peu à ce que le jeune homme pouvait m'apprendre grâce à la fidélité remarquable de sa mémoire. Comme il revenait sans cesse à la charge, un jour je lui ai dit:

— Si tu y tiens tellement, nous irons le rencontrer ton professeur Couture.

Je dois ajouter qu'il avait suscité ma curiosité et que j'avais hâte de le connaître. Claude s'était empressé de demander un rendez-vous. Le 12 septembre 1981, nous nous sommes rendus au 2421 de l'avenue Royale à Courville où l'ancien professeur s'était retiré. J'étais loin de me douter que j'y trouverais une réponse plausible à la question que je me posais depuis quelques mois: «Quelle intervention a pu provoquer chez le handicapé les surprenants changements survenus de 1977 à 1981?»

Le professeur Couture est bien connu à Nouvelle. Il a enseigné à l'école du village de 1937 à 1954 et il a eu comme élèves trois frères de Claude alors que ce dernier était encore bébé: Jules, Marius et Roger. Il est resté attaché à ce coin de pays et c'est avec sympathie qu'il parle d'Arthur Bélanger et de sa famille. Quelque vingt ans plus tard, un ami de Claude allait provoquer leur rencontre.

Claude allait avoir vingt-cinq ans en 1976. Déjà, il comptait à Québec de nombreux amis et un certain nombre d'admiratrices! André Lavoie, lui aussi originaire de Nouvelle et étudiant à l'Université Laval, avait pris l'initiative d'organiser une fête pour célébrer brillamment cet anniversaire et pour en assurer le succès, il avait fait appel à quelques-uns de leurs amis communs. Les réponses furent si nombreuses que les organisateurs ont dû louer la salle du sous-sol de l'église Saint-Charles-Garnier pour recevoir près de trois cents personnes. À cause de son affinité avec les Nouvellois, le professeur Émile Couture y avait été invité. Il faut dire que jusque-là ses rencontres avec Claude avaient été fortuites.

La fête eut lieu le 28 février, quelques jours avant la date de naissance de Claude. Un délai suffisant pour être sûr qu'il ne se doute de rien. Pour connaître la réaction de l'intéressé, il faut l'entendre raconter l'événement avec toute l'émotion que lui en cause le souvenir. Son ami Lavoie l'avait invité à se rendre au lieu choisi pour une rencontre sociale à laquelle il participait de temps en temps. Il était loin de s'imaginer que c'était lui qu'on attendait, et surtout pas le nombre de personnes réunies en son honneur. En entrant dans la salle, il fut étonné du silence et de l'obscurité, mais il le fut davantage quand le groupe entonna à l'unisson *Mon cher Claude, c'est à ton tour...*, la célèbre ritournelle de Gilles Vigneault que les Québécois ont vite adoptée pour la célébration des anniversaires. Quand on alluma les lumières, il aperçut une double haie formée par les femmes présentes à la fête. Il dut la traverser, rouge d'émotion jusqu'au bout des oreilles. Ensuite, il fut encerclé, englouti, et me dit-il avec une certaine fierté :

— J'ai reçu ce soir-là plus de becs que j'en n'aurai jamais de toute ma vie !

Pendant cette soirée, Émile Couture n'a pu causer avec Claude, mais il l'a surtout observé et écouté parler.

— Pendant la semaine suivante, m'a-t-il dit lors de notre rencontre, je revoyais sans cesse Claude, je l'entendais. J'ai alors dit à ma femme que je me croyais capable d'aider le jeune homme à s'améliorer au point de vue orthophonique.

Quelques jours plus tard, pour se délivrer de cette obsession, il a téléphoné à André Lavoie pour l'informer des succès obtenus avec des cas plus graves que celui de Claude. Pour une raison obscure, ce dernier n'a pas répondu à l'appel.

Claude ne l'avait quand même pas oublié. Le 6 novembre 1976 c'était la fête annuelle du Gîte de Miguasha. Il a invité le professeur Couture à écrire un texte au livre d'or et il lui a décerné le titre d'écrivain de l'année, un honneur qu'il réserve à ses plus grands amis et aux personnes qu'il admire. Pendant la soirée, Émile Couture est demeuré discret et il n'a fait aucune allusion à la proposition qu'il avait transmise par l'intermédiaire de l'ami Lavoie. À la fin de la veillée, Claude est venu le trouver et il lui a dit: « Dimanche, je veux t'entendre jouer de l'orgue: j'irai à la messe à l'église de Notre-Dame du Chemin. » L'organiste en a profité pour inviter le jeune homme à dîner à la maison, au 426, boulevard Saint-Cyrille ouest. Après le repas, quand son invité lui parut bien détendu, il lui exposa posément le projet qu'il avait conçu pour lui et il affirma sa conviction de pouvoir l'aider à améliorer son élocution. Il lui déclara ne vouloir ni cadeau ni argent; la satisfaction de pouvoir l'aider lui suffisait.

Émile Couture possède une personnalité dynamique et attachante et il envisage toujours les problèmes à résoudre du côté positif. C'est en 1956 qu'il a commencé à s'intéresser à des enfants affectés par des difficultés d'élocution. Il y eut d'abord le cas d'un jeune garçon qui ne pouvait prononcer correctement les *s*. Ensuite ce fut celui d'une fillette qui pouvait difficilement s'exprimer à cause d'un problème nerveux. Il s'est occupé d'elle pendant sept mois. Quand il l'a revue un an plus tard, elle avait encore de la difficulté avec le son *eu*. Méthodiquement, ils se sont attaqués au problème et ils ont réussi à le résoudre. Depuis, elle s'exprime comme les gens ordinaires. Au cours de son enseignement régulier, il s'est toujours appliqué à corriger les défauts de langage de ses élèves. Depuis qu'il est à la retraite, il s'intéresse aux cas plus difficiles, comme celui d'un jeune homme qui n'avait jamais réussi à émettre aucun son compréhensible et qui, grâce à son aide, est arrivé à prononcer ses premiers mots.

À cette époque, le professeur Couture n'avait pas suivi de cours spéciaux en orthophonie; ce n'est que plus tard qu'il s'inscrira à des cours universitaires en cette matière. Mais il appartient à une famille de musiciens. Son grand-père et son père chantaient. Lui-même a étudié le chant avec des professeurs de renom et il a obtenu un lauréat. Il a aussi appris à jouer du piano et de l'orgue. Pour son action auprès des handicapés de la parole, il s'inspire des techniques utilisées par ses professeurs de chant.

Claude a fini par accepter et il a pu profiter des conseils d'Émile Couture de 1976 à 1979. Toutefois, le travail le plus intense a duré un an et demi à raison d'une séance de deux heures et demie par semaine au début, et à tous les quinze jours par la suite. Claude a compris et, d'étape en étape, il a appris à contrôler ses réflexes. Plus tard, il dira à son professeur:

— Y a des fois que j'ai eu mon voyage, tu sais!

Et l'autre de répondre:

— C'est vrai que je t'ai demandé des choses difficiles et qui exigeaient beaucoup de patience, mais c'était le prix à payer pour que tu t'améliores.

Ce n'était quand même pas nouveau pour Claude. Pendant son enfance, sa mère l'avait entraîné à des exercices de contrôle de soi et de patience, même si elle ignorait les principes qui doivent guider l'adaptation d'un handicapé.

Le maître a continué à suivre son élève de loin et à l'occasion, il lui a donné des conseils. Un jour, après l'avoir entendu parler en public, il lui a dit: «Tu dois parler posément, sans élever la voix.» Claude en tenait compte et ne cessait de s'améliorer. À l'occasion d'une rencontre, Émile Couture lui a donné un dernier conseil:

— Claude, tu vas te regarder dans un miroir: il y a des attitudes que tu dois changer. Tu fais partie d'une famille d'hommes bien bâtis, y compris le père Arthur. Tu ne l'es pas moins qu'eux. Tu dois toujours prendre une attitude pleine d'assurance.

Émile Couture continue à se cultiver. Il est même inscrit à un cours universitaire où il est le plus âgé des étudiants réguliers. Il continue à venir en aide aux personnes qui ont les plus profonds handicaps de la parole. Sa plus grande récompense: entendre les premiers mots d'une personne qui réussit à parler pour la première fois. Quant à Claude, il continue à foncer dans la vie, il oublie son handicap et il est sans cesse occupé à visiter ou à aider ses amis. Il se plaît à répéter qu'il est heureux et satisfait de son sort.

Je ne cherche plus d'autres raisons pour expliquer les changements survenus dans le comportement de Claude au cours des quatre dernières années. Une rencontre providentielle et beaucoup de courage l'ont aidé à se dégager de ses entraves et il devient un exemple pour tous ceux qui prennent prétexte d'un mal réel ou imaginaire pour se contenter d'une vie médiocre. Claude aura l'occasion de faire usage de cette maîtrise de la parole au cours de l'Année internationale de la personne handicapée dont il sera question dans le prochain chapitre. S'il ne peut s'envoler dans les espaces étoilés avec Jonathan Livingston le Goéland, il a réussi à s'élever au-dessus de sa condition de handicapé et s'il continue son élan, il ne cessera d'étonner ceux qui ont suivi son cheminement.

L'ANNÉE INTERNATIONALE DE LA PERSONNE HANDICAPÉE

Conscient de ses progrès, Claude désire communiquer aux autres handicapés son enthousiasme, son amour de la vie et aussi son entêtement à se rendre toujours plus loin. Sa pensée peut se résumer ainsi : ce que le goéland blessé a réussi, plusieurs le peuvent aussi à condition de vouloir et d'accepter les sacrifices indispensables. Depuis qu'il a réussi à maîtriser la parole, il profite de toutes les occasions pour sensibiliser le plus de gens possible aux problèmes des handicapés. Ce qu'il veut provoquer, c'est la compréhension et non la pitié, un support moral plus qu'une aumône qui délivre trop facilement les esprits égoïstes de leurs remords. Il crie à qui veut l'entendre que, dans leur âme, ces personnes ne sont pas différentes des autres humains et qu'elles désirent elles aussi l'amour, le bonheur, l'autonomie. En 1981, il veut aller plus loin et transmettre son message au plus grand nombre de personnes possible.

Il a compris que pour être efficace, il doit concentrer ses efforts. Aussi, délaisse-t-il momentanément certaines activités importantes comme la peinture et la photographie pour consacrer la plus grande partie de son temps à la composition d'un texte qu'il modifiera au cours de l'année pour l'adapter à chaque auditoire nouveau. Il y expose son cheminement personnel, rend hommage aux personnes qui l'ont aidé dans son adaptation, suscite le courage et la persévérance chez les autres handicapés et tente d'éveiller la compréhension de la population jusqu'ici trop indifférente. Il n'attend pas qu'on l'invite; il entreprend lui-même des démarches pour convaincre de l'utilité de son intervention. Personne ne résiste à ses arguments et à sa capacité de persuasion. Au cours de cette année, à de nombreuses occasions, il éveillera l'intérêt pour la cause dont il se proclame l'apôtre. Cet engagement constitue pour lui un nouveau défi et une occasion de dépassement. Dorénavant, il s'adressera à un auditoire plus nombreux et il devra faire en sorte que son discours soit compris de tous. Pour assurer le succès de ses interventions, il devra le mieux possible maîtriser ses réflexes et porter une grande attention à son élocution: un test crucial. Jour après jour, il travaillera son texte, il le relira jusqu'à le savoir presque par cœur. Le résultat sera étonnant: partout on l'écoutera avec intérêt et souvent avec émotion.

C'est dans sa paroisse natale qu'il commencera sa campagne de sensibilisation, c'est là aussi qu'il la terminera. À la fin de décembre 1980, il a été invité par le président du Club Optimiste de Nouvelle. Pour la plupart des personnes présentes ce fut une surprise, surtout qu'il avait attiré l'attention en arrivant en retard et que son intervention n'était pas prévue à l'ordre du jour. Prenant la parole à la fin de la réunion, sans texte et sans hésitation ni blocage, il a surtout insisté sur l'importance de bien préparer l'année consacrée aux personnes handicapées. L'assistance s'était spontanément levée pour l'applaudir longuement. Ceux qui le connaissaient lui ont manifesté leur étonnement devant une si brillante performance. En sortant, un de ses amis lui a dit:

— Il était temps que tu t'arrêtes parce que tu en aurais fait brailler plusieurs.

Le 4 janvier 1981, il s'adressera avec la même aisance aux personnes présentes à une assemblée du Syndicat des employés de soutien de la Commission des écoles catholique de la ville de Québec. Il a aussi participé activement à un colloque ayant pour objet les droits des personnes handicapées, tenu à Québec les 21 et 22 mars. Le 13 novembre, il s'adressera aux membres de l'Association des Gaspésiens et des Madelinots de Québec. Mais le véritable coup d'envoi sera donné le 31 janvier et le 1er février dans l'église de sa paroisse de Limoilou.

Claude s'est préparé longtemps d'avance à cet important événement dont le succès lui donnera confiance pour tous ses projets de l'année 1981. Il a d'abord rencontré le curé de la paroisse Saint-Charles de Limoilou pour lui demander la faveur de s'adresser aux paroissiens. Convaincu de l'à-propos de cette démarche, le R.P. Raymond Tremblay l'invite à prononcer l'homélie à toutes les messes du premier dimanche de février. C'est la première fois qu'il parlera dans une église mais cela ne l'inquiète pas, il cherche plutôt un moyen de provoquer l'intérêt de l'assistance avant même de parler. Comme il a le sens du spectacle, il décide de se présenter dans le chœur portant des œillets blancs « semblables à des goélands », dit-il et qui dans son esprit symbolisent les personnes handicapées. Il a placé la gerbe sur une table devant l'autel et, au moment de l'offertoire, il la présentera au célébrant. Le moment venu pour l'homélie, il s'est levé avec assurance et il a lu son texte avec fermeté et sans anicroche. À sa grande surprise, l'auditoire qui avait eu les yeux fixés sur lui du commencement à la fin, l'a chaleureusement applaudi. Le curé lui a avoué n'avoir jamais vu pareille réaction. À la sortie, il fut entouré d'une foule de gens qui voulait lui parler, le féliciter et l'encourager à continuer.

Le *Soleil* de Québec signale l'événement à deux reprises : le 4 février dans l'édition locale et le 6 février dans la section destinée aux abonnés du Bas du Fleuve et de la Gaspésie, avec des titres coiffant, le premier, trois colonnes et le deuxième, quatre colonnes : *Un handicapé physique a prononcé l'homélie à Saint-Charles de Limoilou* et *Celui qui rejette un handicapé est lui-même handicapé* (Claude Bélanger)

Après ce succès, Claude a entrepris des démarches pour répéter l'expérience à Sainte-Anne-des-Monts où son ami Sylvain Richard est vicaire. Il est aussi intervenu auprès du curé de sa paroisse natale où il rêve de terminer avec éclat l'Année internationale de la personne handicapée. Entre-temps, il est reçu par différents groupements. Le 6 février, il parle devant l'Association des Loisirs pour les handicapés d'Orléans ; le 24, il passe la journée à l'école des Ursulines de Québec où il rencontre successivement quatre groupes d'étudiantes. Après l'avoir écouté attentivement, ces dernières l'interrogent longuement ; la question qui revient le plus souvent: « Comment t'as fait pour t'en sortir? » Le 21 avril, il s'adresse aux membres de l'Amicale des Enseignants retraités de Québec et la banlieue; le 21 juin, il participe à l'inauguration de la Fondation Maguire pour les enfants handicapés de la Gaspésie.

Claude est particulièrement attaché à cette dernière œuvre organisée par un groupe de Nouvellois pour commémorer la mémoire du docteur Jean-Eudes Maguire qui a pratiqué la médecine dans la localité au-delà de trente ans. Une messe solennelle fut célébrée par l'évêque de Gaspé, Mgr Blanchet, en arrière du musée de Miguasha, face à la mer et où les chants se mêlaient aux cris rauques des goélands. Dans un texte bellement composé, Lucie Bélanger a rendu hommage au Dr Maguire et Claude a lu les épîtres. C'est à la suggestion de ce dernier que le bureau de direction a choisi comme symbole de la fondation un goéland à l'aile brisée.

Les 24 et 25 octobre, on retrouve Claude à Sainte-Anne-des-Monts. Pendant ce court voyage, il lira son texte cinq fois. Après avoir rencontré les personnes âgées du centre d'accueil local, il s'est rendu dans un tout petit village de l'arrière-pays appelé Cap-Seize. On y compte une population d'une centaine de personnes dont la plupart s'étaient rassemblées dans la modeste chapelle aménagée dans une ancienne école. À cet endroit, Claude a découvert qu'il n'y avait pas seulement les handicapés physiques à secourir mais aussi des gens pauvres et démunis. Il parlera à l'église paroissiale, à la messe du samedi soir et aux deux messes du dimanche.

Les paroissiens de Sainte-Anne-des-Monts l'ont écouté en retenant leur souffle, mais contrairement à ceux de Saint-Charles, ils sont restés figés comme s'ils étaient frappés par un commun saisissement. Après la messe, plusieurs ont voulu le rencontrer pour lui communiquer leurs impressions et pour l'interroger; parmi eux, il y avait des handicapés fortement ébranlés par les propos de Claude. D'autres ont communiqué leurs réactions au vicaire qui les a transmises à son ami. Voici quelques-uns de ces témoignages:

Un animateur scout:

— Ça nous donnait à réfléchir. Ça nous ramenait à la réalité. Y en a à Sainte-Anne-des-Monts des handicapés physiques et mentaux. On vient qu'on les oublie. C'est bon de prendre conscience qu'ils vivent au milieu de nous.

Une paroissienne qui garde sa sœur handicapée:

— Moi, ce que j'ai aimé de Claude, ç'a été son beau sourire, sa jovialité.

Une jeune fille vivant de Bien-Être social:

— On voit que c'est un gars qui a lutté et qui est bien décidé à continuer à lutter. J'ai trouvé ça fort ce qu'il a dit.

Une religieuse:

— Moi, je me suis sentie proche de Claude. Il m'a beaucoup rejointe dans ce qu'il est comme personne. Une personne libérée. Je me suis sentie en contact avec un humain dans le sens plein du mot.

Une élève de l'élémentaire:

— Je ne sais pas comment t'expliquer. Quand il m'a donné la main, c'est comme si j'avais été dans sa peau. Il m'a donné le goût d'être missionnaire.

Quelque temps après son retour à Québec, Claude a reçu une lettre d'une dame de Sainte-Anne-des-Monts lui disant son appréciation et lui envoyant cinquante dollars destinés à la Fondation Maguire. Pour obtenir cet argent, elle avait organisé le tirage d'une courtepointe entre ses amies. Un détail a touché le jeune homme : un goéland en plein vol sur l'en-tête du papier à lettre. Dans son édition du 12 novembre 1981, la revue *Église canadienne* décrivant cette journée consacrée aux handicapés signale que « c'est surtout un message vivant de Claude Bélanger qui a rejoint et touché les frères et les sœurs de la communauté chrétienne de Sainte-Anne-des-Monts ».

Claude a choisi sa paroisse natale pour terminer brillamment l'Année internationale de la personne handicapée. Une fois de plus il a retouché son texte. Il sent que ce sera probablement plus difficile qu'ailleurs de s'exprimer devant ses parents, ses amis et ceux qui ont été ses coparoissiens. Il connaît le dicton : « Nul n'est prophète dans son pays. » Il a quand même confiance et son expérience de l'année lui donne de l'assurance. Il lira son texte aux trois messes.

La messe du samedi soir revêt un cachet particulier : c'est presque une fête de famille. En effet, son frère Jules sert comme concélébrant, son père et sa mère comme servants de messe et c'est lui qui prononcera l'homélie. De plus, Lucie Bélanger lira une communication invitant les Nouvellois à encourager la Fondation Maguire.

Sûr de lui, Claude s'est comporté en vétéran de la parole. Il a disposé sans faux mouvements son texte sur le lutrin et dès le début, il a parlé d'une voix posée et forte. Une des personnes présentes à cette messe m'a dit: «Le silence était complet, personne n'a toussé, personne ne s'est dérhumé comme ça se fait pendant le sermon du curé.» Bien des gens étaient émus et plusieurs femmes ont fait un usage discret de leur mouchoir. Quand il eut fini, l'auditoire est resté figé par l'émotion, incapable de réagir. Les propos d'une femme qui a connu Claude enfant sont révélateurs de la surprise de bien des gens:

— J'ai de la misère à croire que c'est le malade à Arthur Bélanger qui peut parler comme ça.

Claude n'allait pas s'arrêter avant que l'année ne soit complètement terminée. Le 29 décembre, il est interviewé par un animateur du poste de télévision de Carleton. Pendant dix minutes, il répond avec aisance aux questions et il profite de l'occasion pour lancer un appel à tous les Gaspésiens en faveur de la Fondation Maguire dont l'unique but est d'aider les enfants handicapés de la péninsule depuis la naissance jusqu'à l'âge de dix-huit ans. Le 31 décembre, au Centre communautaire de Drapeau — le secteur est de Nouvelle — trois cents personnes se sont réunies pour célébrer la fin de 1981 et l'arrivée de 1982. Claude y était. Quelques minutes avant minuit, il a demandé la permission de dire quelques mots. Il a été court et, même si certains étaient assez fortement égayés par l'alcool, on s'est tu pour l'écouter. On reconnaît ici son entêtement à se rendre jusqu'au bout de ses limites.

J'ai entendu Claude lors de son intervention à l'Amicale des retraités de l'enseignement, j'ai écouté l'enregistrement de son homélie à Sainte-Anne-des-Monts et celui de son entrevue à la télévision de Carleton. Il convient de préciser que dans ce dernier cas il n'avait pas de texte et il ne connaissait pas les questions. Il commence timidement, sans hésitation toutefois, mais il ne tarde pas à s'animer; il devient convaincant quand il fait appel à tous les Gaspésiens en faveur de la Fondation Maguire, allant jusqu'à leur dire de cesser d'envoyer à Québec et à Montréal de l'argent dont on ne revoit jamais la couleur en Gaspésie.

À Sainte-Anne-des-Monts, tous les mots sont compréhensibles. Au fur et à mesure qu'il avance, il prend de l'assurance et on a l'impression qu'il n'a pas de texte. Les quelques hésitations sur les sons difficiles à prononcer ne font que mettre en relief ses incroyables efforts pour arriver à une telle performance. Pour celui qui l'a connu il y a cinq ans, cette facilité à s'exprimer est inexplicable. Dans le dernier chapitre je dirai comment Claude procède pour rédiger ses textes.

En l'écoutant, on constate qu'il n'a rien changé à sa manière habituelle de parler et que c'est bel et bien l'expression de sa pensée personnelle. Comme son texte de Nouvelle est le résultat final de son principal travail au cours de l'année 1981, comme il est la manifestation de ses états d'âme, de son désir de se rendre à la limite du possible dans tout ce qu'il entreprend, j'ai cru à propos de le reproduire au complet sans autres changements que la correction de quelques fautes de grammaire qui lui ont sans doute échappé lors de la transcription de sa propre main dans le livre d'or du Gîte de Miguasha, en Gaspésie.

Chers amis,

Après avoir souligné l'Année internationale de la femme en 1975 et celle des enfants en 1979, l'O.N.U. a décrété que 1981 serait l'Année internationale de la personne handicapée. C'est surtout une publicité, ça ne réglera pas tous les problèmes. Ça peut aider, nous sommes tous des êtres humains en fin de compte. En cette Année internationale de la personne handicapée, j'ai eu l'occasion de prendre la parole à plusieurs reprises. Je peux vous dire que ce n'est pas facile, mais je me suis dit qu'il faut que j'aille porter mon message à la population, croyant que c'est mon devoir. Mon premier témoignage fut à l'église Saint-Charles de Limoilou, à Québec, ensuite à Sainte-Anne-des-Monts. Je suis heureux de terminer à Nouvelle, ma paroisse natale. Ce que j'ai fait à Québec, je ne pouvais m'empêcher de le faire ici où je me sens toujours chez moi.

Si je suis venu ici aujourd'hui, c'est parce que c'est Jésus qui m'a envoyé vous faire un message. Jésus a choisi des apôtres. Il m'a choisi apôtre des personnes handicapées. Mon message: c'est de pouvoir vous dire que dans la vie on a tous eu des difficultés à franchir, mais je voudrais bien que toute personne handicapée aboutisse à une victoire. Ce que Jésus me dit de vous proclamer, c'est qu'il y a en chacun des forces humaines vives qui lui donnent le pouvoir de se dépasser; en second lieu, c'est que, dans ma foi profonde, je me sens appelé à défendre les droits des personnes handicapées et à leur témoigner par ma vie, qu'eux aussi peuvent réussir la leur.

Dès les premiers mots je vous dirai simplement, mais en toute vérité que je vis heureux dans ce monde; comme on dit souvent, je suis heureux dans ma peau. Pour en arriver là, j'ai dû me donner sans cesse de nouveaux défis à gagner. J'ai été aidé en cela par mes parents et de bons amis à moi, par le bon Dieu aussi qui m'a soutenu dans mes luttes pour la victoire d'une vie réussie.

Je suis le dernier de dix-huit enfants. À ma naissance, des difficultés imprévues à me mettre au monde ont fait qu'à un certain moment, j'ai manqué d'oxygène et qu'une certaine paralysie cérébrale m'a touché ; des cellules du cerveau étaient sérieusement endommagées. D'où, par la suite, des retards dans mon développement à marcher, à me servir aisément de mes deux mains et à parler correctement.

Dans mon enfance, que d'essais pour en arriver à conduire une cuillère à la bouche qu'une main tremblante vidait de son contenu ! Que d'efforts jusqu'à huit ans, soutenu par ma mère qui me disait : « Tu vas y arriver ! », pour simplement lacer et nouer mes chaussures. Et que dire du moment tragique lorsque après la deuxième année de classe, on déclara à mes parents que je devais entrer dans des cours spéciaux : je ne suivais pas les autres. C'est ainsi que j'ai été conduit à l'hôpital Sainte-Justine de Montréal pour des exercices spéciaux, et pour des cours particuliers à Québec, à l'école Cardinal-Villeneuve, une institution pour enfants handicapés.

Dans cette bataille à développer mes muscles et ma parole normale, il y eut un défi plus dur encore à relever : celui de m'accepter tel que j'étais et malgré mon handicap, de garder le désir de communiquer avec les autres et à ne pas me replier sur moi-même. En définitive, à aimer les autres et à me laisser aimer avec ma petite misère. Je crois que le problème existe encore un peu. Il va falloir aller plus haut que le goéland qui ne recule jamais.

Que l'on soit handicapé ou non, on a tous nos difficultés. Nous n'avons pas le droit d'empêcher qui que ce soit de vivre comme les autres humains.

C'est grâce à l'amour et à l'attention continue de mes parents, surtout de ma mère, de mon père, de mes frères et de mes sœurs aussi que j'ai pu croire que l'on pouvait m'aimer pour ce que j'étais. Tout au long de mes années de formation ce fut un bon cadeau de Dieu. J'ai eu des amis de classe et de jeux qui, sans me le dire, m'ont aidé de leur compréhension et de leur amitié, à continuer à me dépasser sans cesse.

C'est ainsi qu'aujourd'hui je gagne ma vie dans le travail d'entretien de la Commission des écoles catholiques de Québec. À certains moments, pour arriver à vivre, tellement le salaire était bas parce que handicapé, j'ai dû accepter jusqu'à soixante-dix heures par semaine pour la ville et pour la C.E.C.Q.. Maintenant, j'ai des heures régulières et un taux normal de salaire. Plus encore, dans les derniers mois, j'ai dû défendre avec succès, par moi-même, mon emploi auprès des patrons qui ont compris mes revendications.

En terminant, pour dire à nouveau ma joie, je veux remercier Dieu et tous ceux qui m'ont aidé, car si j'ai dépassé certaines des limites de mon handicap, je le dois aux aides reçues et j'en remercie beaucoup de personnes. Je le dois à Jésus qui m'a donné dans sa parole et dans les amis trouvés dans les communautés chrétiennes des soutiens irremplaçables.
Vous savez mon intérêt pour la Fondation Maguire destinée à venir en aide aux jeunes handicapés de la Gaspésie. J'invite tous les citoyens à participer à cette œuvre qui rappelle la mémoire du bien-aimé docteur Jean-Eudes Maguire.

Avec vous je prierai Dieu, aujourd'hui, pour toutes les personnes qui se battent pour dépasser leur handicap. Je vous invite à les soutenir de votre compréhension et de votre amitié dans leur combat à vivre comme tout le monde. Que Dieu les comble de sa présence par des amis sincères et proches, comme j'ai été comblé moi-même dans mon épreuve. Que leur foi devienne source de dynamisme pour les pousser à la victoire.

En terminant je vous dis, soyez heureux et continuez à franchir vos difficultés de la vie. Dans les années futures, je continuerai de travailler et de me battre pour cette cause humaine et chrétienne.
L'Année internationale de la personne handicapée est terminée, mais pour moi ce n'est pas fini : c'est un départ.
Je vous souhaite une bonne et heureuse année 1982.

L'ENVOL

« Jonathan Livingston le Goéland n'était certes pas un goéland comme les autres. » Paraphrasant Richard Bach, on peut avec autant de vérité affirmer que Claude Bélanger n'est pas un garçon comme les autres. Rendu à la fin de ce récit, il est impensable de vouloir mesurer les progrès qu'il a accomplis depuis sa petite enfance et surtout d'essayer d'expliquer le bond gigantesque des cinq dernières années. En comparant le diagnostic posé par les spécialistes de l'hôpital Sainte-Justine en 1961 à l'épanouissement atteint à la fin de l'année 1981, on est émerveillé des incroyables ressources en puissance dans un être humain.

Pour moi, qui ai tenté de retracer son cheminement et d'en fixer les différentes étapes, il reste beaucoup de choses mystérieuses, inexplicables. On peut sensément croire que ses efforts incessants et tendus vers un même but ont fini par engendrer de nouveaux réflexes qui ont compensé pour la partie du cerveau détruite par la paralysie. Un problème de spécialiste. Mais le plus étonnant, ce sont les progrès des cinq dernières années.

À Sainte-Justine on avait classé Claude dans la catégorie des retardés mentaux sans trop s'interroger sur ses virtualités; on avait même douté de sa capacité d'apprentissage. En effet, on lui avait laissé le choix entre aller à l'école et rester à la maison. Heureusement la mère avait pris une des décisions les plus importantes dans la vie de l'handicapé: il fera comme tous les autres enfants et on l'aidera davantage, s'il le faut.

Je ne suis pas un psychologue et, dans cette histoire, j'ai voulu être, avant tout, un observateur attentif. Cette attitude m'a permis de constater que Claude est doté d'un heureux tempérament: jovial, franc, patient; il faut le pousser jusque dans ses derniers retranchements pour qu'il se mette en colère. Et ça ne dure jamais longtemps. Malgré les obstacles qui ont encombré sa route, il est resté généreux et optimiste.

Sans épiloguer sur les théories de la caractérologie et de la psycho-morphologie, on peut sans doute le considérer comme un extraverti ou, selon une autre acception, comme un type à réaction primaire. En effet, il réagit rapidement à toute sollicitation extérieure; il est impulsif et spontané. Il se peut que son handicap contribue à accentuer ces traits de son caractère. Il sait se débrouiller et quand cela est possible, il aime trouver lui-même la solution à ses problèmes. Il vit intensément dans le présent, sans toutefois oublier les leçons du passé. Il a la repartie facile, il s'intéresse à tout et à tous. Un tempérament idéal pour se faire des amis.

Pour Claude, chaque personne humaine recèle en elle-même des valeurs inestimables. Lorsqu'il rencontre un individu, qu'il soit grand ou petit, célèbre ou humble, riche ou pauvre, il oublie l'état social et l'importance de la fonction pour ne considérer que l'homme ou la femme avec ses aspirations et ses qualités propres. Comme on l'a déjà vu, il est aussi à l'aise avec un premier ministre et une vedette de la télévision qu'avec le pêcheur de Miguasha ou le bûcheron de Nouvelle. C'est un état d'esprit qui l'a aidé à tracer sa voie dans la société et à conquérir la liberté et l'autonomie dont il jouit aujourd'hui.

Même s'il est conscient qu'il devra traîner toute sa vie les séquelles de son handicap, Claude l'oublie et s'efforce de se comporter en toute occasion comme une personne normale. Il en résulte que bien des gens ne soupçonnent pas la vraie nature de son mal. Il participe pleinement à la vie de sa société québécoise dans ses diverses manifestations et il y déploie plus d'efforts que bien des gens de sa génération qui se croient normaux. Tout l'intéresse et le motive : le travail, la politique, la religion, la vie sociale, la vie artistique, la vie sentimentale. Aujourd'hui il se sent parfaitement adapté à son milieu et heureux d'y vivre.

Claude a un grand cœur. Il est toujours prêt à aider ses amis et à contribuer au succès des œuvres sociales et humanitaires. Entraîné à aller aussi loin que ses capacités le lui permettent, il lui arrive parfois de dépasser les limites raisonnables, de prendre des risques inutiles. C'est ainsi qu'un jour il songe à entreprendre à bicyclette le tour de la Gaspésie, un périple de près de neuf cents kilomètres pour promouvoir les intérêts de la Fondation Maguire ; il était même prêt à sacrifier un mois de salaire pour réaliser cet exploit. Lorsqu'il décide d'organiser une fête en l'honneur d'un ami ou d'une personnalité de son entourage, ses invités sont toujours très nombreux et les complications qui peuvent en résulter ne l'émeuvent pas. Toutefois, il a appris à se connaître et comme il se sait vulnérable sur ce point il s'est entouré d'amis fiables et sages. Il les consulte avant de se lancer dans une nouvelle aventure et suit volontiers leurs conseils. Il considère comme un devoir la pratique du bénévolat. En 1981, il a exprimé ses sentiments dans le texte suivant :

> « Les années passent sans m'en apercevoir, et c'est ça la vie. Je ne suis pas un gars qui oublie les autres, j'aimerais avoir plus de temps pour me consacrer au bénévolat et aussi à mes loisirs. Je peux vous dire que je suis trop débordé d'idées, mais j'en réaliserai à tous les ans. Pour moi, ce qui enrichit le plus un homme ou une femme dans la vie, de nos jours, c'est le bénévolat qui nous fait apprendre que nous sommes toutes et tous utiles, ça fait apprendre à mieux se connaître, et à se découvrir de nouveaux talents cachés, et mieux se sentir entre nous. C'est vrai que le bénévolat nous fait voir du monde qui sont en dehors de nos petits bobos, et on ne pense plus à ses petits problèmes. »

Claude voue une grande fidélité à sa famille, à ses amis et à ses anciens professeurs. Il téléphone régulièrement à sa mère et il se rend chez ses frères et ses sœurs, au moins ceux qui ne sont pas trop éloignés. Pendant ses vacances d'été, il n'oublie jamais de rendre visite à ses anciennes institutrices de Nouvelle et aussi aux familles de ses amis, même si ces derniers n'y sont pas. De temps à autre, il communique avec plusieurs des professeurs qui lui ont enseigné dans les écoles de Québec, et certains l'invitent à leur table. Il a même réussi à rejoindre celle qui était directrice de l'école du village de Nouvelle en 1959 ; il l'a invitée à l'une des fêtes du Gîte de Miguasha à Québec et il l'a reçue avec sa famille à sa maison d'été. On imagine l'étonnement de cette femme en constatant les transformations survenues depuis que Ti-Claude se rendait à son bureau pendant la classe.

Sa plus grande victoire, Claude l'a sans doute remportée contre ses difficultés d'élocution. On connaît déjà le succès de ses interventions pendant l'Année internationale de la personne handicapée. Un jour je me trouvais à son appartement pour enregistrer ses souvenirs quand le téléphone a sonné. Je l'ai observé sans scrupule puisque je me trouvais en ces lieux pour mieux le connaître. Il s'agissait de s'entendre entre amis pour l'organisation d'une fête anniversaire de l'une d'entre eux. Il a discuté avec une telle aisance qu'on oubliait son handicap ; on sentait qu'il prenait l'initiative avec des suggestions raisonnables : pourquoi un cadeau ? c'est tellement devenu cher ; on pourrait se contenter de choisir une belle carte de souhaits et d'une invitation au restaurant. À en juger par l'expression de son visage quand il est venu me retrouver, son idée avait été retenue. On n'a aucune difficulté à le comprendre au téléphone ; parfois, c'est lui qui doit nous faire répéter, sans doute à cause de sa légère surdité de l'oreille gauche. En plus, on connaît les succès de ses interventions au cours de l'Année internationale de la personne handicapée. Bref, si l'on tient compte de ses difficultés des débuts, c'est un progrès incroyable.

Il croit pouvoir encore s'améliorer. Aussi, a-t-il l'intention de continuer ses cours chez le professeur Couture. Le grand obstacle, et il en est parfaitement conscient, c'est le contrôle de ses émotions. S'il rit, par exemple, il ne peut plus contrôler ses réflexes et son élocution devient chaotique, coupée de spasmes nerveux. Il n'arrive jamais à terminer une histoire drôle qu'il a commencé à conter. C'est un aspect auquel son professeur porte une grande attention. En ce domaine comme dans bien d'autres, il est conscient qu'il a du travail pour toute la vie, que s'il cesse d'avancer, il risque de régresser.

Quand il a quitté l'école, Claude ne maîtrisait pas encore la technique de la lecture. On se rappelle sa difficulté à lire pour la première fois une lettre de sa mère. Il a découvert lui-même la méthode qui lui convient : lire régulièrement les grands titres des journaux, des livres et des revues abondamment illustrés. Petit à petit, il a appris la technique de la lecture silencieuse, celle où l'on ne prononce pas mentalement les mots. Il a progressé lentement pour arriver à lire de soixante-quinze à quatre-vingts mots à la minute. Pour lui c'est un progrès énorme mais il lui reste encore un long chemin pour arriver à lire un livre complet avec plaisir. On sait que la lecture à haute voix, tout en restant compréhensible peut atteindre cent cinquante mots à la minute ; la lecture silencieuse est beaucoup plus rapide : un lecteur moyen peut facilement arriver à deux cent cinquante mots, et même davantage. Augmenter la rapidité de la lecture sans en diminuer la compréhension, c'est son principal objectif pour la prochaine année. Déjà, il s'est attaqué à son premier roman dépourvu de toute illustration.

Lecture et écriture s'enseignent simultanément. Pendant les treize années qu'il l'a fréquentée, l'école n'a pas réussi à apprendre à Claude à écrire correctement la graphie des mots, encore moins à appliquer correctement les règles de la grammaire. Il a quand même acquis une excellente calligraphie, une habileté dont il se servira pour recopier ses textes personnels dans ses divers livres d'or. Dieu sait si le jeune homme a des idées à exprimer et il possède un vocabulaire assez étendu, mais il écrit au son, exactement comme il parle. Il confie ensuite son texte à un ami ou à une amie, pour y apporter les corrections orthographiques tout en exigeant qu'on ne change rien à la substance ni au rythme du texte. C'est un esclavage auquel il s'est résigné. Pour arriver à maîtriser cette technique, il devrait y consacrer beaucoup de temps, des années peut-être, ce qui le forcerait à négliger d'importantes activités.

Claude aime composer des textes pour diverses circonstances. On connaît celui de son homélie du 26 et du 27 décembre à l'église de Nouvelle. Il le fait à l'occasion de fêtes ou d'événements importants. Voici ce qu'il a transcrit dans l'un de ses livres d'or à l'occasion du dixième anniversaire de son arrivée à Québec. On y sent un peu l'influence du correcteur dont il ne tardera pas à se dégager.

> « En septembre 1963, un moment difficile pour moi : quitter la maison paternelle. Devant mes parents inquiets, et sur les conseils de mon frère Jules, je quittais la terre de mon enfance pour monter au gros village de Québec. Je me sentais nostalgique, triste et totalement ignorant de ce qui m'attendait. Je me sentais surtout très seul. Ce qui ne devait être qu'une promenade allait devenir le premier pas d'une nouvelle vie. »

Voici un de ses plus beaux textes composé pour la famille Barriault le 15 septembre 1975, à l'occasion du premier anniversaire de la mort tragique de son grand ami Hugues :

« Aujourd'hui, 15 septembre 1975, nous commémorons un anniversaire bien triste. Il y a un an déjà que notre ami Hugues a émigré dans l'au-delà. Un an, c'est très court, c'est vraiment trop court pour reléguer dans l'oubli le souvenir de l'amitié si longue qui fut la nôtre. De toute façon, un an ou cent ans c'est peu, puisque j'ai la conviction que tu es toujours à nos côtés et prêt dans l'avenir à reprendre la conversation.

J'aimerais bien que tu m'accompagnes dans la promenade à travers les sentiers de la vie et que nous avons parcouru gaiement ensemble. Je suis convaincu que comme nous, tu penses qu'il vaut mieux se remémorer les souvenirs les plus heureux. Dieu sait combien notre amitié en compte que le temps ne parviendra pas à effacer.

Une grande amitié, Hugues, c'est comme le mariage de deux fers que réalise le forgeron. La nôtre a été trempée par un voisinage immédiat dès la petite enfance. Elle s'est ensuite raffermie sur les bancs de l'école et pris force dans nos discussions d'adolescents et ensuite de jeunes adultes.

Et il termine ainsi :

En guise de conclusion, je voudrais simplement mentionner que je suis certain que le grand nombre d'amis que tu as su te faire pendant tes études à Nouvelle, Carleton, Gaspé, Québec, Montréal, ainsi que ceux que tu as fréquentés lorsque tu travaillais à l'Auberge de la Jeunesse s'associent à nous ce soir pour faire en sorte que ta mémoire ne s'éteigne pas. La fête annuelle du gîte y collaborera chaque année au début de novembre. Ce livre est très condensé. J'ai des souvenirs tellement nombreux que je pourrais écrire plusieurs livres de ce genre, mais je crois que ceux relatés ici sont suffisants pour te prouver que nous ne t'oublions pas. »

Claude gagne honorablement sa vie par un travail manuel convenant à sa capacité physique. Après de longues et difficiles luttes, il a réussi à se faire accepter comme un employé régulier et il jouit de tous les avantages accordés à ses compagnons qui ne sont pas handicapés. Son combat sera sans doute exemplaire pour tous les handicapés qui désirent s'engager dans le monde du travail. Même si l'autonomie qu'il a acquise lui donne de l'assurance et lui permet une vie normale, exempte de soucis pécuniaires, il ne rêve pas moins d'une autre occupation plus conforme à ses goûts et à ses aspirations. Il comprend que son instruction est déficiente à bien des points de vue et qu'elle ne lui permet pas d'occuper des postes importants. Il serait heureux de pouvoir consacrer tout son temps à une œuvre comme la Fondation Maguire et contribuer à assurer le bien-être physique et moral à des personnes démunies. On pourrait difficilement trouver meilleur propagandiste. Avec une bonne secrétaire, « pas de problème », comme il le dirait lui-même. Il croit fermement et le dit à qui veut l'entendre que les handicapés ne peuvent être mieux servis que par les leurs.

Claude a commencé à s'intéresser à la vie politique du Québec lors du débat télévisé Lesage-Johnson ; son intérêt s'est accentué lors des événements d'octobre 1970. Il suit régulièrement les débats politiques et les émissions portant sur les affaires publiques. Après s'être renseigné, il a choisi une option qu'il ne craint pas de défendre chaque fois qu'il en a l'occasion. Il s'est engagé personnellement dans la dernière campagne électorale, assistant à toutes les réunions de son comté et faisant même du porte à porte. Il a été humilié quand une femme lui a fermé la porte au nez en le traitant de « communiste ». Il en rit maintenant en disant : « Il faut croire que ma tête ne lui revenait pas ! » Le respect de l'opinion des autres est pour lui un principe essentiel, mais il tient à la réciprocité de ce principe et il n'est aucunement gêné de discuter avec ceux de ses amis qui ne partagent pas son opinion.

La religion constitue pour Claude une valeur indispensable. En lisant ses écrits, on s'en rend vite compte. Il pratique sans ostentation. Sa foi et sa confiance en Dieu lui apportent un secours indispensable dans son combat pour arriver à une vie meilleure. Écoutons ce qu'il dit à sa manière dans un texte écrit en 1981 :

> « Aujourd'hui, je peux vous affirmer que je me sens bien dans ma peau, ce, grâce à l'amour de mes parents, frères et sœurs, et de mon entourage, j'ai pu m'en sortir, et aussi la foi profonde que j'ai eue en Dieu qui m'a donné dans sa parole, une foi chrétienne et sa lumière pour le chemin que j'ai parcouru depuis trente ans. »

On s'interroge parfois sur la vie sentimentale et sexuelle d'un handicapé. Je ne pouvais éviter la question. J'ai simplement demandé à Claude s'il avait déjà aimé une fille. Après avoir longuement hésité, il m'a répondu : « C'est une question difficile que tu me demandes là. » Il m'a d'abord rappelé qu'il a vécu une enfance normale au point de vue sentimental. Plusieurs fillettes de l'entourage de la maison paternelle ont été ses compagnes de jeux et il s'amusait à les appeler « ses blondes ». Elles ne faisaient aucune distinction entre lui et les autres garçons de son âge ; il était même le plus populaire.

À Québec, pendant plusieurs années, il a été coupé de la société des gens ordinaires. Prisonnier de son handicap, il n'a pas connu les expériences des autres adolescents. Jusqu'à l'âge de vingt ans il a habité un foyer nourricier qu'il quittait pour aller à l'école et qu'il devait réintégrer sans tarder. Ses trois premières années de travail ont été pires encore. Il devait trimer dur, même le soir, le samedi et le dimanche. Quand il rentrait, il ne songeait qu'à se reposer. La situation a changé après la fondation du Gîte de Miguasha.

À partir de 1972, il a rencontré plusieurs jeunes filles qui, au premier abord semblaient s'intéresser à lui. Il faut dire qu'il est assez beau garçon et qu'il ne manque pas de charme. L'une après l'autre, elles le quittaient pour danser ou pour sortir avec un garçon répondant aux critères usuels de la normalité. Il est évident que son handicap les effrayait. Peut-être ne se rendaient-elles pas compte que leur attitude le blessait et accentuait chez le jeune homme un sentiment d'infériorité. L'une d'entre elles lui est quand même restée fidèle pendant quelques années, mais leurs relations se sont bornées à celles d'une banale amitié. Il avoue qu'il l'aimait en secret et qu'il a pleuré quand elle lui a appris sa décision de tenter la vie commune avec un autre garçon. Ce fut une aventure éphémère. Claude a profité de l'annonce de la rupture pour révéler ses véritables sentiments, mais cet aveu n'a eu pour résultat que de confirmer ses appréhensions. La jeune fille lui a dit avoir apprécié son amitié mais ne pas l'aimer assez pour prendre le risque de partager sa vie. Après avoir rappelé qu'elle se rendait volontiers aux soirées organisées chez lui, mais qu'elle avait toujours refusé de sortir en sa compagnie comme si elle avait honte de paraître en public avec un handicapé, il a ajouté : « À cause d'elle, j'ai perdu un temps précieux. » D'autres jeunes filles qui avaient besoin de consolations sont venues vers lui, mais elles sont vite reparties et pas une ne lui a jamais dit: «Claude, je t'aime.»

Claude est réaliste. Il sait que peu de femmes sont prêtes à partager la vie d'un handicapé. Toutefois, en se rappelant les nombreux obstacles qu'il a réussi à franchir dans la lutte pour sa libération, il est confiant de pouvoir rencontrer un jour pas trop lointain la personne capable de l'accepter tel qu'il est et de l'aimer. Il désire se marier et avoir des enfants. Rien ne s'y oppose. Son handicap n'est ni une maladie ni une tare héréditaire. Il veut une femme réaliste, douée d'une attitude positive devant les événements de la vie et qui l'aimerait assez pour oublier son handicap.

Au terme de ce récit, je dois avouer que ce fut une expérience humaine enrichissante de refaire avec Claude le long et pénible chemin qui l'a conduit à son état d'homme libre. Pour moi, c'était une aventure d'écriture nouvelle et exaltante par ses difficultés et ses surprises. Au bout de la route, j'ai quitté un jeune homme sûr de lui, bien intégré à la société et heureux des bienfaits que la vie lui apporte chaque jour et dont il remercie le Ciel. Certes, il portera toujours en son corps les stigmates de son handicap, mais pour lui, c'est devenu un état normal auquel il pense de moins en moins. Il est plus que jamais décidé à continuer sa montée, à voler vers des sommets qui lui ont longtemps paru inaccessibles. Il est résolument décidé à mettre en pratique le message que Richard Bach a voulu transmettre à ses frères, les humains:

> «Brisez vos limites, faites sauter les barrières de vos contraintes, mobilisez votre volonté, exi-

gez la liberté comme un droit, soyez ce que vous voulez être. Découvrez ce que vous voulez faire et faites votre possible pour y parvenir.»

À partir d'aujourd'hui, Claude pourra, à l'instar de Jonathan Livingston le Goéland, et avec un effort moindre, augmenter son rythme et réaliser des performances supérieures à celles de ses plus beaux jours. Et il continuera à s'améliorer aussi longtemps qu'il saura inventer de nouveaux projets et s'entêter à voler toujours plus haut.

TABLE

DU MÊME AUTEUR

Au fin bout de l'espoir. Montréal, Éditions Beauchemin, 1972 (épuisé).

L'Ancienne-Lorette. Montréal, Éditions Leméac, 1979.

Mademoiselle Hortense ou l'École du septième rang. Montréal, Éditions Leméac, 1981.

ACHEVÉ D'IMPRIMER SUR
LES PRESSES DES ATELIERS
MARQUIS DE MONTMAGNY
LE 14 SEPTEMBRE 1983 POUR
LES ÉDITIONS LEMÉAC INC.